EL OJO DE
LA MUJER

GIOCONDA BELLI

EL OJO DE
LA MUJER

Prólogo de José Coronel Urtecho

*Disfruta de Gioconda
y su poesía,
maría.*

VISOR LIBROS

VOLUMEN CCXCI DE LA COLECCIÓN VISOR DE POESÍA

1ª edición, 1992
2ª edición, 1995
3ª edición, 1997
4ª edición, 1998
5ª edición, 2000
6ª edición, 2001
7ª edición, 2002

© Gioconda Belli
© VISOR LIBROS
   Isaac Peral, 18 - 28015 Madrid
   ISBN: 84-7522-291-2
   Depósito Legal: M- 29.601-2002
   Impreso en España - *Printed in Spain*
   Gráficas Muriel. C/ Buhigas, s/n. Getafe (Madrid)

EL OJO DE
LA MUJER

ENTRADA A LA POESÍA DE GIOCONDA BELLI

Gioconda Belli ocupa ya un lugar visible en la poesía de Nicaragua. Por la misma razón —de ser más conocida— lo ocuparía en la de América, como lo ocupará, no cabe duda, cuando se la conozca. A mi ver, por lo menos, tiene ya asegurado su sitio en la poesía de la lengua española.

Con más o menos esplendor, ese proceso se ha repetido no pocas veces en la poesía nicaragüense desde Rubén. Alguna vez he escrito que los poetas nicaragüenses —como también los de los otros países de Hispanoamérica— adquirieron en y por Rubén no sólo su verdadera libertad americana, sino también conciencia de su universalidad. Desde entonces la mayoría de los poetas nicaragüenses pasaron del nivel provinciano al universal. Muchas voces de inconfundible acento nicaragüense empezaron a oírse en el ámbito de la poesía de la lengua. En España y en Cuba, y otro países, se han editado antologías de poesía nicaragüense y cada vez hay más poemas de poetas nicaragüenses en las antologías generales de la poesía hispanoamericana. Muchos de esos poemas han sido en otras lenguas. Sus traductores han sido a veces poetas bien conocidos en sus lenguas respectivas y los poemas nicaragüenses traducidos por ellos han aparecido en algunas de las publicaciones norteamericanas y europeas más prestigiadas y exigentes. Thomas Merton tradujo poemas de Alfonso Cortés, como también de Pablo Antonio Cuadra y Ernesto Cardenal. Éste también ha sido traducido al inglés por el notable poeta norteamericano Kenneth Rextroth, que tanta influencia tuvo hace algunos años en la poesía joven de la costa del Pacífico. Sus traducciones de poesía nicaragüense, igual que las de Merton, se publicaron en el anuario de *New Directions,* de Nueva York, donde se suelen acoger las novedades más interesantes y las nuevas tendencias de la literatura mundial contemporánea. Por lo demás, como se sabe, Ernesto Cardenal, quizá el más conocido de los actuales poetas de Latinoamérica —más de lo que en su tiempo lo fue Rubén—, se ha traducido a casi todas las lenguas europeas. Hoy Nicaragua es conocida en casi todo el mundo sólo por sus poetas. Aunque apenas se sabe dónde está este país, hoy se pueden leer o escuchar por la radio poemas nicaragüenses, no solamente en ruso sino también en finlandés. Pero quizá el poema nicaragüense más traducido y publicado en casi todos los idiomas y países haya sido *La tierra es un satélite de la luna,* del poeta guerrillero Leonel Rugama, muerto en Managua en un asalto de la Guardia Nacional a la casa donde él se hallaba en compañía de otros jóvenes del Frente Sandinista. Su poema no sólo salió en la contraportada de una revista de información católica de París, que se publica en varias lenguas, sino que se tradujo y reprodujo en periódicos y revistas de casi todas partes y hasta lo vi citado entero dentro del texto de un artículo sobre la situación latinoamericana en el semanario *Commonwealth,* de Nueva York. Donde menos se aprecia y se conoce la poesía nicaragüense es, por lo visto, en Nicaragua. Su difusión en el extranjero debiera al menos indicarnos que la poesía nicaragüense es ya una realidad. Aunque algunos le quieran quitar importancia al hecho como tal, no solamente es ya una realidad más o menos clasificable como nicaragüense —con elementos y características específicamente nicaragüenses dentro de la poesía americana de la lengua española y de la hispánica en general—, sino quizá también una continuidad y hasta una especie de tradición que con notables ramificaciones y contramarchas, a fin de cuentas viene de Rubén.

Lo significativo es que la continuidad de la poesía nicaragüense, desde Rubén hasta los jóvenes que por primera vez han visto aparecer algunos de sus poemas en los últimos números de *La Prensa Literaria,* más que nada consiste en la continuidad de la novedad. No se debe olvidar que Rubén fue sobre todo el gran renovador y el gran maestro de la novedad en la poesía de la lengua. Especialmente en esto Rubén demostró ser de Nicaragua y representó como ninguno la plenitud de lo nicaragüense. Probablemente por la riqueza del mestizaje en Nicaragua, lo que caracteriza en primer término a lo nicaragüense es quizá su variedad y su capacidad de variedad, que en la poesía se manifiesta como continua novedad. Aunque hacerlo sería sin duda interesante, no cabe aquí mostrar dónde está lo nicaragüense y la continuidad y la novedad en la poesía de Nicaragua. Sólo pretendo situar en ella la de Gioconda Belli. Su poesía no sólo es una novedad, como se dice de lo que gusta extraordinariamente, sino además una de las muestras o manifestaciones o, como hubieran dicho en tiempos de Rubén, de las epifanías de la novedad en la poesía del país. No solamente de una novedad pasajera, que hoy es nueva y mañana deja de serlo. Pero la novedad de la poesía de Gioconda Belli es permanente. Para mí está impregnada, o mejor dicho, participa de la esencial y eterna novedad de la poesía misma, nueva en todos los tiempos y cuyo tiempo existe dentro y fuera del tiempo o en la totalidad del tiempo. Pero la novedad de la poesía de la joven Gioconda debe también mirarse como un hecho importante y sobre todo como parte de un hecho importante en el actual proceso o desarrollo de la poesía nicaragüense. Desde un punto de vista sociológico y cultural, o simplemente histórico, el hecho a que me refiero probablemente es en Nicaragua la mayor novedad. Aunque no puedo más que indicarlo de paso, dos cosas me parecen especialmente significativas a propósito de esto: el que donde primero se manifieste sea en la poesía —que es la voz más auténtica de lo nicaragüense— y que quizá por eso mismo pase inadvertido para la mayoría del país, cada día más sordo a su voz más profunda y por lo tanto más desconectada de su propia profundidad. Ya es innegable que por lo menos en las últimas décadas —especialmente desde mediados de los años treinta— a la par del llamado progreso material hemos venido progresando en superficialidad y frivolidad. Aunque más bien debiera ser lo contrario —puesto que vitalmente al menos la mujer es de suyo más profunda que el hombre— la superficialidad y la frivolidad en la vida nicaragüense, se hacen sentir más aún, si cabe, en las mujeres que en los hombres. Desde Rubén y por Rubén, la corriente contraria —en Nicaragua por lo menos— sólo ha existido en la poesía. Sólo en poesía ha habido entre nosotros profundidad y seriedad. Lo que la gente más superficial y esencialmente frívola con apariencia de seriedad tiene precisamente por juego o por vagancia, cuando no por locura —porque efectivamente es lúdico y no utilitario—, resulta ser, en realidad, lo único serio. Pero, a no ser por la poesía, lengua que hoy sólo entienden los poetas y los jóvenes —que en cierto modo son lo mismo—, las otras formas de la cultura y de la vida en Nicaragua han sido despojadas de contenido verdadero, sin que hasta aquí aparezca nada que pueda sustituirlo. Si Nicaragua desapareciera, no quedaría más que su poesía.

Tampoco puedo aquí desarrollar esas observaciones, pero en ese contexto podemos apreciar la importancia del hecho a que me he referido y deseo exponer, antes de concretarme a la poesía de Gioconda Belli. En cualquier caso es innegable que cualquiera que sea la importancia o significado del acontecimiento, la más reciente novedad y, si se piensa en sus posibles consecuencias futuras, la mayor novedad de los últimos años ha sido el hecho de que las mujeres se han puesto a la cabeza de la poesía nicaragüense. No, desde luego, que antes no hubieran hecho versos y aun escrito poesía. En Nicaragua ha habido, sin duda, poetisas. Dos o tres, según creo, verdaderas poetas. Pero ellas mismas aceptaban ser llamadas poetisas y eso bastaba para mantener una marcada diferencia entre los hombres y las mujeres y entre las de antes y las de ahora. La palabra poetisa, aun aplicada a las más grandes poetas del mundo, nunca dejaba de tener una ligera implicación de minoría y aun de velada inferioridad en algunos aspectos. Aunque sin duda esto se debe a que la lengua es por su origen predominantemente masculina, de todos modos es consecuencia de la inmemorial subordinación de la mujer al hombre y de su consiguiente inferioridad social y cultural. No es casual, por lo tanto, que desde los comienzos de la actual revolución poética de la mujer nicaragüense —que en cierto modo corresponde al movimiento de liberación femenina que hay en otros países— la palabra poetisa se haya vuelto tabú. Ya es tabú, por lo menos, entre los del oficio. A mi ver esto implica el aparecimiento de una nueva y distinta conciencia femenina, que en Nicaragua —como es propio de su genio profundo— tiende a encontrar al menos su primera y quizá con el tiempo su más alta expresión en el lenguaje de la poesía. La verdad es que entre nosotros, en los últimos años, las mujeres se han colocado, por lo menos en eso, a la par de los hombres. Media docena de mujeres jóvenes se encuentran ya, no cabe duda, en la primera fila de la poesía nicaragüense. Con los mejores jóvenes poetas de las últimas generaciones, han revelado, en unos cuantos pequeños manojos de sus poemas —de vez en cuando aparecidos en La *Prensa Literaria* o en sus fugaces revistas de minoría—, que a su propia manera continúan la marcha y sin mayores altibajos mantienen el nivel de los más celebrados poetas nicaragüenses posteriores a Rubén. Junto a los nombres de esos poetas de todos conocidos, pueden ya mencionarse los de algunas mujeres, como Gioconda Belli.

La novedad no es tanto el número de mujeres poetas en los últimos años, aunque no deja desde luego de ser sorprendente y, como digo, revelador. En esa década, al parecer, son tantas ya las jóvenes poetas como los jóvenes poetas lo fueron en la anterior. Últimamente, según creo, con pocas excepciones, los jóvenes poetas que se dieron a conocer en los años sesenta, ya empezaban a dar señales de cansancio y hasta si no me engaño, de agotamiento. Fue por eso, tal vez, que un número mayor y de más calidad del que ordinariamente suele hacerlo en esos movimientos, abandonaron la poesía. En todo caso, me parece que en las últimas promociones de poetas nicaragüenses la mayoría son mujeres. Pero tampoco la novedad está en la calidad, aunque la calidad de la poesía de algunas mujeres haya alcanzado en Nicaragua el más alto nivel. Lo verdaderamente nuevo —si es que se puede establecer una arbitraria separación— no es tanto lo que aportan por ser ellas poetas, cuanto por ser mujeres y expresarlo en sus poemas. En alguna medida, es lo que han hecho siempre las mujeres poetas que realmente lo han sido desde Safo hasta hoy. Pero una cosa es, sin embargo, expresarse como mujeres y otra expresar en su poesía su misma femineidad, tal como ellas la sienten y la viven o la quieren vivir. Ni qué decir que no es lo mismo una poesía de mujeres en la lengua del hombre y con leyes y reglas impuestas por hombres, que la poesía de la mujer. Las mujeres poetas que han logrado sobresalir en la literatura universal, desde Safo hasta hoy, son las que, al menos en su poesía, han liberado y revelado de alguna manera su verdadera femineidad. Lo que hoy nos dicen las abanderadas de la liberación femenina —*women's lib*— de que la femineidad que conocemos fue una invención del hombre, impuesta a las mujeres por el patriarcalismo dominante y mantenida gracias al machismo o al chauvinismo masculino —*male chauvinism*—, puede ser que contenga su parte de verdad. Esto no quita, sin embargo, que siempre exista, en una forma u otra, la femineidad. Pero sobre eso no hay acuerdo ni siquiera entre las mujeres que se tienen por liberadas y es difícil que un hombre, o las mismas mujeres, puedan prever las consecuencias de la hasta aquí minoritaria y por supuesto relativa liberación de la mujer, como también la nueva forma o posibles estilos de la femineidad futura. Aunque las predicciones están sujetas a incalculables probabilidades, yo me inclino a pensar que, en Nicaragua por lo menos, de ocurrir tales cambios, será mucho más tarde que en otros países. Quizá eso indica que los cambios serán más profundos y ojalá más humanos. En tal sentido es significativo que, como dije antes, la liberación o revolución de la mujer nicaragüense haya empezado en la poesía. Es ya bastante, en todo caso, que todo un coro de mujeres haya irrumpido casi de súbito en ese campo y un buen número de ellas tomado posiciones en primera línea. Vistas así las cosas y aparte, claro, del valor poético, lo que más vale en la poesía de la mujer nicaragüense es para mí la revelación de su femineidad. Cada cual de la suya. Pero entre todas, al fin de cuentas, la de la actual mujer nicaragüense, o más bien, simplemente la actual femineidad de la mujer en Nicaragua. Dos cosas hay, por lo demás, que suelen andar juntas: rebelión y revelación. Entre nosotros todavía puede decirse de las mujeres que la que se rebela se revela. La rebelión de la mujer constituye, en efecto, una revelación de sí misma para ella misma y para los demás. Pero, asimismo, su revelación aún constituye para nosotros una forma de rebelión. La que descubre ante los otros su propia femineidad o, si se quiere, simplemente su intimidad, aún se suele pensar que comete un acto de rebeldía. En lo cual ya no somos ni siquiera del año 1974, sino más bien pertenecemos a 1774, aunque más, sin embargo, que en México o Guatemala, en León o Granada, de la provincia de Nicaragua. Pero, por suerte, los poetas no solamente son los que viven al día —en todos los sentidos— sino además en un sentido, también en el mañana. Y es quizá en esto sobre todo que las mujeres, en Nicaragua, han tomado la delantera. Ya es evidente al menos que han empezado por abrir a la poesía nicaragüense un territorio inexplorado cuyos límites ignoramos.

En ese inmenso territorio casi desconocido, Gioconda Belli se ha revelado maravillosa exploradora. Ha sido ciertamente una de las primeras nicaragüenses en penetrar a fondo en la femineidad y la primera, estoy seguro, en descubrir con libertad y sencillez su propia intimidad, por lo que su poesía revela el asombro, el gozo y la frescura de lo vivido y expresado por primera vez. Representa una nueva conciencia gozosa de ser mujer y no sólo de serlo, sino también de saber cómo y en qué lo es y sobre todo y por su misma condición de poeta, el gozo de revelarlo. Siendo ella misma y revelándolo es como a la vez o a veces es simplemente la mujer: toda mujer y toda la mujer. Aunque sólo indirectamente lo he referido a ella, lo que he escrito hasta aquí no tiene más objeto que sugerir su posición en la poesía nicaragüense y dentro de ésta en la de la lengua. Pero todo eso, desde luego, es meramente circunstancial, o mejor dicho, accidental, y no tiene que ver con su poesía como poesía, que en realidad es única. Sin señales particulares, ni trucos estilísticos, su poesía no puede ser más original, en el sentido de que al instante se reconoce como suya y no sólo distinta de todo lo demás. En Nicaragua, las poetas, igual que los poetas, se distinguen por ser inconfundibles entre sí. Pero más que de forma, sus verdaderas diferencias son de carácter. Cada poeta, desde luego, vive y crea su mundo, que en Nicaragua, felizmente, es el de todos, vivido y creado por él o ella en su propia poesía. En este caso en la poesía de Gioconda Belli. En todo caso, en ésta, aunque no sea, no pueda ser más que poesía de Gioconda, más que en Gioconda es en poesía donde cae el acento. Cierto que su poesía está hecha desde Gioconda Belli y de Gioconda Belli, con la materia prima de su ser y su vivir, de tal manera que un poema suyo basta para hacer ver que su poesía no sólo es de ella, sino ella misma. Es en ese sentido que parodiando lo de Bécquer se podría decir a Gioconda: tu poesía eres tú. Todo lo que ella es y todo lo que vive, por lo mismo que lo es y lo vive como poesía, puede hacerlo poesía, convertirlo en poesía y decirlo en poesía. Para la gente a la que desagrada aun la sola palabra poesía, porque evoca para ellos algo ajeno a la realidad o desligado de la vida, hay que advertir que para Gioconda la poesía es su vida plenamente vivida con un alto voltaje de energía vital y una riqueza extraordinaria de lo que Gide llamaba *nourritures terrestres*. Pero tampoco en este caso cabe desligar de la poesía como vida la poesía como poesía. En la poesía de Gioconda Belli, vida y poesía son inseparables, de donde se origina que el resultado, es decir el poema, sea todo poesía. Lo distintivo de ella es que su poesía es simplemente una expresión –es decir, un poema— de su vida vivida tal como ella la vive. No que su vida sea de suyo poesía, ni todo el tiempo sea sólo poesía –aunque ella pueda a ratos vivirla como tal— sino que trasladada verbalmente al poema, resulta serlo. Sus poemas, en realidad, son hechos de *vivemas,* dándole a esa palabra la significación de momentos de vida registrados por un sistema emocional de alta fidelidad, como evidentemente lo es el suyo. En su caso no cabe ni separar, ni confundir vida y poesía. Hay que tener presente a este propósito que, para el que la vive, la vida es precisamente lo que pasa, lo que por su naturaleza es pasajero, mientras que la poesía queda para siempre. Es, por lo menos, lo mejor que en esta vida queda de ella. Por lo que hacer poesía se ha visto siempre como un intento de dar a nuestra vida una forma de eternidad. En la poesía de Gioconda Belli se da un juego constante de tiempo y eternidad, porque lo que eterniza es precisamente su propio tiempo. Leer su poesía resulta, por eso, una manera de contemplar y hasta quizá de convivir, en el momento que se quiera, momentos de su vida y su mismo vivirlos en continuo presente, no en su inmediato acontecer, pero sí proyectados, como quien dice, en la pantalla de su expresión poética. Sus naturales y espontáneos procedimientos literarios, en la medida en que los emplea, que es poco frecuente, en nada estorban, sino al contrario, comunican mejor lo vivido o más bien revivido por ella en sus mismos poemas. Cediendo un poco a la tentación de la pedantería, alguien podría quizá decir de sus poemas que son a su manera «correlativos objetos», con referencia al *objetive correlative* de Eliot, que aún conserva su utilidad para indicar la fórmula —el conjunto de cosas, la situación o la cadena de sucesos— que encierra en sí y evoca en el lector una emoción o juego de emociones de que un poema se origina. Para decirlo más sencillamente, los poemas de Gioconda presentarían equivalencias poéticas exactas de momentos de su vida o de vivencias que la incitan a su expresión poética. Pero no creo que de ese modo pueda aclararse más una poesía como la de Gioconda, que lleva en sí su propia claridad. Para mí sus poemas no son exactamente equivalencias poéticas y mucho menos correspondencias inventadas o suplidas por su imaginación —cosa que, sin embargo, no estaría mal— sino, como ya dije, su vida misma, sus momentos y sus vivencias, como por

17

arte de magia trasladados, vivos y palpitantes, al plano de la poesía. No es ya un conjunto imaginado lo que hace veces de lo vivido y evoca su emoción. Es de su vida misma y de su expresión de donde nace cada poema de Gioconda Belli.

La pregunta por la poesía —¿qué es poesía?— aunque es cierto que ha sido mil veces respondida con luminosas definiciones, no ha habido, ni puede haber una sola respuesta que abarque todas las realidades catalogadas o catalogables en esa palabra. Tan poesía es, supongo, la de los indicios chorotegas como la de Rubén: sus diferencias son más bien de valor y de grado que de naturaleza. De otra manera no sería propio designarlas con la misma palabra. Si la poesía es algo real —como yo creo que lo es— no sólo es indefinible, sino en sí misma indescriptible y de suyo inefable. Pero aunque no sabemos cómo lo sabemos y con frecuencia nos equivocamos, lo que creemos poder decir con intuitiva seguridad es que un verso, una frase, un conjunto de pocas o muchas palabras, es o no poesía. En definitiva sólo podemos afirmar que lo es por el placer inconfundible que en nosotros produce. Por la poesía, en la realidad, sólo responde el poema. Más concreto sería, sin embargo, decir —como lo hacían las antiguas preceptivas literarias— que la poesía propiamente dicha sólo se da en el verso. Siempre recuerdo a este propósito lo que un escritor francés de principios de siglo contestó, en una encuesta, a la pregunta ¿qué es poesía?: *Ce qu'on dit en vers*. Lo que se dice en verso. La respuesta, aunque irónica, sería al menos clara, si no fuera que hoy no se sabe ni siquiera qué es verso. No es que yo vea esto como pérdida, sino al contrario, como ganancia, pues más aún que de libertarse del antiguo concepto del verso y de participar en el proceso de formación del verso de mañana, en realidad se trata de percibir y transmitir, cada uno según su carácter y sensibilidad, el ritmo o pulso de hoy o la línea o la voz o hasta quizá más propiamente la longitud de onda necesaria para comunicarnos de verdad en la actual dimensión de la poesía. Cada poeta de hoy, si no es que emplea aún la versificación tradicional —lo que en América, por lo menos, es ya muy raro—, no tiene más remedio que descubrir su modo de versificar o su manera de distribuir sus propios ritmos o intensidades de sonido y movimiento en las líneas o moldes gráficos que mejor correspondan a lo que quiere comunicar. Gioconda Belli escribe, a veces, poemas que aún hace poco se habrían llamado poemas en prosa o bien prosemas —como nosotros los denominábamos hace más de treinta años—, aunque realmente corresponden a otra forma de verso y no a lo que ha solido entenderse por prosa. Por ejemplo, el poema *Siento que voy alejándome,* en realidad está compuesto de un solo verso, o si se quiere de una sola secuencia de palabras, con sus correspondientes pausas o cesuras, que se alarga sin cortes o cambios de línea por toda una página, mientras en *Siempre* o *Escribirte* o los otros poemas no distribuidos en líneas separadas de diferente longitud, puede decirse que cada párrafo equivale a un verso. Todo este asunto, desde luego, se presta aún a confusiones y alguien tendrá que redefinir en el futuro tanto la prosa como el verso, que actualmente se encuentran en rápida transformación. No se puede ignorar, sin embargo, que en la poesía actual la prosa, aunque esté incorporada al poema deliberadamente como prosa, hace veces de verso. Basta decir, por el momento, que hoy se llama verso a todo lo que sirve de vehículo a la poesía, o mejor dicho, a los arreglos verbales o lingüísticos de que hasta ahora nos valemos para comunicar lo que designamos con el nombre de poesía. Lo que yo pienso en general sobre el verso y la prosa en su actual coyuntura y de sus perspectivas para el futuro no es aquí desde luego el lugar de exponerlo. Ni siquiera pretendo examinar, en cuanto tales, los versos de Gioconda o los medios de que se vale para dar forma a su poesía. Sólo deseo, con lo dicho, despejar el camino a la lectura de ésta. No me parece que haya mejor manera de acercarse a una poesía como la suya, que nos hace participar directamente en ella y por lo mismo compartir su propia revelación. Sin embargo, no debo pasar adelante sin indicar ligeramente algo sobre el carácter y el movimiento de sus versos en relación a la manera en que ella, al parecer, escribe su poesía y algo también sobre la lengua en que le da la forma correspondiente, porque la siente como necesaria. Mejor diría que surge en ella como de ineludible necesidad. Tanto sus versos como su lengua producen, por lo mismo, esa constante y a la vez siempre fresca impresión de absoluta espontaneidad que es quizá lo primero en llamar la atención en la lectura de su poesía. Verso, lengua y poesía forman en sus poemas una unidad inseparable en la que apenas cabe distinguir el verso del movimiento natural de la lengua o la lengua de la estructura particular del verso o los dos del efecto total de poema. Es que el verso y la lengua y la poesía, en el poema, son una sola cosa. La de Gioconda es así una poesía hondamente espontánea —quiero decir, surgida espontáneamente de su propia profundidad, como el agua de un pozo— y lo contrario, por consiguiente, de improvisada, artificial o caprichosa. No es, pues, extraño que sus versos sean, como su lengua y su poesía, totalmente espontáneos —aunque no fáciles— ya que responden enteramente al movimiento de su mente. En este caso la palabra mente no significa sólo su inteligencia, sino ella misma tal como es, una persona que lleva el nombre de Gioconda Belli, una mujer joven y bella en sus particulares circunstancias, que es a la vez sujeto de una espontánea actividad creativa. Una mujer a quien lo vivido pareciera dejarle una carga emotiva que le resultaría quizá irresistible si no pudiera a veces darle salida en forma de poemas. En cierto modo hace poesía como una bailarina que, poseída por la música, expresara en su danza la emoción de su cuerpo. Se podría decir que sus versos corresponden, en otro plano, al movimiento o los movimientos corporales, a los avances y ondulaciones, giros, saltos y pasos de la danza y más quizá a los gestos y señales, los pases y compases de los pies y las manos en que se expresa o exterioriza la conmoción interior de una mujer en trance de creación. Pero, siguiendo la metáfora, la danza de sus versos no es violenta o frenética, ni en realidad intensa, sino generalmente serena y suave, aun cuando acusa casi siempre una anterior intensidad. Su poesía parece para ella un descanso y hasta quizá un alivio. Al lector le transmite una sensación de apaciguamiento y de gozo colmado. En tal sentido, al menos, podría aplicársele el conocido dicho de Wordsworth sobre la poesía como emoción recordada en la tranquilidad. Sus versos rugen y desaparecen, en todo caso, sin llamar la atención como versos dentro del movimiento del poema. Son a manera de onda de diferentes longitudes que sólo llaman brevemente la atención hacia lo que antes se llamaba el fondo del poema o, regresando a la metáfora, hacia la mar de fondo vital y emocional que es lo que en realidad produce el movimiento de palabras y versos que llamamos poema. Puede decirse que sus versos únicamente existen en función de un movimiento que culmina en su expresión y comunicación. Aún me atrevo a decir que sus versos en realidad no existen como versos y que a eso deben en cierto modo su funcionalidad como vehículo de poesía. Ella misma parece no darles importancia —salvo, naturalmente, la que le damos, por ejemplo, a la respiración— y ni siquiera verlos como versos. En la medida en que los toma en cuenta y los pronuncia o los escribe como versos, no es de creerse que sean para ella más que emisiones o trasmisiones de palabras —las que, por un motivo u otro, con mayor facilidad o sencillez o mayor carga emocional o sensorial, deben decirse o escribirse de una vez— dosificados por el aliento y el pulso o ritmo de su sangre y su voz, cuando no simplemente por su máquina de escribir. Su música, o mejor dicho, su tipo de música, no es en ellos precisamente donde puede encontrarse —como ocurría con los versos castellanos tradicionales y con los modernistas— sino que los envuelve y los lleva consigo y está tanto en el verso como antes y después, porque no es otra cosa que el movimiento del poema. En su caso, éste nace de la más honda entraña de la misma Gioconda.

Por otra parte, en la poesía de Gioconda Belli, tanto los versos como la lengua son además de suyos e inconfundiblemente suyos, una indudable derivación de la poesía nicaragüense posterior a Rubén. Forman, por consiguiente, parte del proceso —el desenvolvimiento o desarrollo— del verso y la lengua de la poesía en Nicaragua. No hay que olvidar que el verso es solamente un molde, visual o auditivo, más o menos elástico, en que depositamos, por así decirlo, el contenido —el sentido, el calor, el color, el sabor— de nuestra lengua para la comunicación de la poesía. Sólo podemos escribir poesía en nuestra propia lengua o en otra que hayamos hecho realmente nuestra. Yo, sin embargo, no conozco ningún gran poeta que lo haya sido a la vez en dos lenguas. Los pocos poemas que hizo Rubén en francés no son siquiera parecidos a los de su poesía en nuestra lengua. Aunque de haber seguido escribiendo en inglés, probablemente habría dado, Salomón de la Selva, su propia medida —como se puede presentir en sus poemas de *Tropical town*—, no cabe duda que su gran poesía la escribe en español. Ni qué decir que Maragall únicamente en catalán es Maragall y Rosalía..., Rosalía solamente en gallego. Cuanto más grande es un poeta más hondamente se identifica con su lengua. Sólo en ella descubre y establece su propia identidad, que en otra lengua, desde luego, no sería la misma. Las lenguas tienen, como los hombres, su personalidad —lo que aún suele llamarse su propio genio— por lo que se distinguen de las otras como los hombres entre sí. Un gran poeta en dos lenguas, sería quizá un caso de doble personalidad. Aun los que hablan y escriben dos o más lenguas como propias, sólo se identifican en realidad —si es que pueden hacerlo— con una de ellas. Según parece, los políglotas lo pueden ser precisamente porque no se identifican con ninguna de las lenguas que saben. En todo caso, es en su lengua donde el poeta es poeta y donde sólo puede realizarse como el poeta que es él. Dicho de otra manera, sólo en su lengua y por su lengua, el ser humano se realiza plenamente como hombre o mujer o simplemente como ser humano, en el mundo de la poesía.

En Nicaragua lo que ha habido, desde Rubén hasta el presente, no sólo es un proceso de naturalización de la poeía, sino también y simultáneamente de la lengua de la poesía, con el objeto de adaptarla a nuestra propia realidad personal y nacional —o invirtiendo más bien el orden—, nacional y personal. El proceso es sin duda muy amplio y complejo para tratar aquí de resumirlo en unas cuantas frases. Hay que tener en cuenta, sin embargo, que antes de Rubén, aunque estaba muy extendida la afición a los versos —bastante más, al parecer, que ahora— y mucha gente los hacía para conmemorar los acontecimientos especiales de la vida ordinaria, no se puede afirmar que haya existido en Nicaragua verdadera y directa experiencia de la poesía. No, por lo menos, experiencia creativa y mucho menos de lo que hoy —precisamente gracias a la revolución iniciada por Rubén— se reconoce como poesía. No hay que olvidar que esta revolución —que no se debe identificar, como generalmente lo hacen los profesores de literatura, con sólo el modernismo, ya que lo sobrepasa y empalma con la actual— ha sido en todo el ámbito de la lengua, y que Rubén y los modernistas hispanoamericanos lo que trajeron sobre todo fue una nueva experiencia de la poesía. Ellos y más que todos el propio Rubén, es innegable que trajeron o más exactamente renovaron el sentido de la poesía como experiencia y novedad. Por eso mismo es que se ha dicho que el aparecimiento de Rubén en Sudamérica y España fue un verdadero despertar. Lo que llamaron modernismo y lo que se ha derivado o ha venido tras él —y en buena parte contra él— en realidad son sólo aspectos o simplemente cambios de una misma revolución ocurrida en la lengua y que quizá está lejos todavía de llegar a un climax. Pero Rubén y los modernistas empezaron por elevar el nivel de la lengua hasta la altura de su nueva experiencia de la poesía o, si se quiere, de una poesía que todos ellos experimentaban como recién recuperada, cuando no en cierto modo como acabada de descubrir. Por lo demás, la lengua de Rubén era, como quien dice, toda la lengua. Si no fuera por el descrédito actual del adjetivo se podría decir sobre la lengua de Rubén que era imperial. Él, indudablemente, tuvo en su tiempo lo que muchos entonces llamaban el imperio de la poesía, que de alguna manera se extendía por todo el espacio geográfico y cultural de la lengua española. Aunque no fuera más que por eso, la lengua de Rubén era naturalmente la que correspondía a su situación tanto como a su genio. Tan por encima estaba entonces de lo que se consideraba la experiencia común —el común de la gente decía no entenderlo— como de las diferencias y matices del habla en los distintos pueblos y países de la misma lengua. No se trataba tanto de las palabras valorizadas sólo como palabras más o menos independientes de su significado, como tampoco de contraponer la realidad poética a la ordinaria, cuanto del uso de la lengua apropiada para un concepto refinado, esteticista y aristocrático de la poesía, la belleza y la música. Pero desde Rubén, o mejor dicho, desde que sus seguidores agotaron lo que podía dar el modernismo en un ambiente como el nuestro, el movimiento ha sido, como digo, de naturalización de la poesía y de la lengua usada para comunicarla. Naturalización no sólo en el sentido de más nacional —y para el caso, más nicaragüense— sino también y sobre todo, de más natural. Después de todo, más nicaragüense, por más natural. Lo malo de esto, sin embargo, es tener que decirlo y peor aún con insistencia, porque no se es deliberada o voluntariamente, sino naturalmente nicaragüense. Como tampoco deliberada o voluntariamente, sino naturalmente natural. La naturalización y la naturalidad fueron, en todo caso, los más visibles resultados de la libertad que para la poesía de la lengua y la lengua de la poesía conquistó Rubén, pero que sólo existió en Nicaragua cuando los poetas se liberaron del propio Rubén. No estaría de más que ese proceso lo investigaran las universidades nicaragüenses, aunque en esta materia tan pronto como intervienen los profesores de literatura, con sus disecciones y clasificaciones, comienza a declinar el movimiento vivo y el desenvolvimiento natural. Claro que siempre ha habido una tensión constante y mayor o menor entre lo que pudiéramos llamar el *sermo nobilis* —la lengua de los cenáculos, las academias y los libros— y el *sermo vulgaris* —la lengua nuestra de cada día— en casi todos los principales poetas nicaragüenses. Sólo Fernando Silva ha podido hacer uso, en su poesía como en sus cuentos, de la auténtica lengua popular nicaragüense sin caer en la afectación de un dialecto regionalista que sólo existe en la imaginación de los que lo simulan, sino al contrario, manteniendo su inconfundible calidad poética a la par del más puro sabor nativo. Carlos Martínez Rivas es, a mi ver, el poeta nicaragüense en el que la tensión entre la lengua creada por la poesía y la que usamos ordinariamente en la conversación se pone en juego y se manifiesta más dinámicamente, produciendo los resultados más extraordinarios. Entre los grandes poetas modernos de nuestra lengua, si es que no me equivoco, sólo Vallejo y él —con diferencias fundamentales y muy distinta orientación— han logrado con éxito algunos cambios tan interesantes como prometedores, en la estructura de la lengua misma. Tampoco puedo, como quisiera, detenerme en esto. De todos modos es un hecho que, en Nicaragua, el movimiento de la lengua de la poesía principalmente ha sido en dirección de la que se habla en el país —la que emplean los poetas en la conversación— sin apartarse, desde luego, de la poesía como experiencia auténtica. De esa manera y en buena parte por influencia de la poesía norteamericana de entonces en el grupo de poetas nicaragüenses que, desde el año 27 al 36, figuraron en el llamado movimiento de vanguardia y todavía más si cabe en la siguiente generación —como se puede, por ejemplo, ver en la lengua de la poesía de Ernesto Cardenal— a lo que se tendía espontáneamente era a poner en práctica, sin conocer o recordar quizá su procedencia, lo que de muchos modos repetía Ezra Pound: no decir nada en verso que no pueda decirse con las mismas palabras o frases en la conversación corriente, en momentos de diferente intensidad emocional. No se trata, por consiguiente —sea dicho en descargo de los poetas nicaragüenses— de lo que llaman patriotismo, otra palabra de las muchas que han caído en descrédito, por designar el sentimiento quizá más degradado, dentro de la degradación actual de casi todo sentimiento. En general se trata, me parece, de mantener el contacto directo de la vida con la poesía.

Los dos procesos que he señalado, el del verso y su lengua en la poesía de Nicaragua, no cabe duda que hoy culminan, o por lo menos se hacen sentir, en la poesía de la mujer nicaragüense y de modo particular, o más bien personal, en la de Gioconda Belli. Por eso he dicho que, en el orden de adaptación a nuestra propia realidad, está primero lo nacional que lo personal. De igual manera que solamente en nuestra propia lengua podemos dar con toda plenitud nuestra propia poesía, sólo en el marco de lo nacional se da con toda plenitud lo personal. La verdadera personalidad puede considerarse como una personalización de la nacionalidad. También en tal sentido es que somos de nuestra lengua, o mejor dicho, en nuestra lengua, tanto o más que en la tierra o simplemente de la tierra donde tenemos nuestras raíces. Es en su lengua, por consiguiente, donde Gioconda Belli puede ser, como lo es en efecto, plenamente ella misma. Aunque es un hecho que la lengua natural y corriente que usa Gioconda en su poesía, ya en cierto modo estaba preparada por el proceso de naturalización —en su doble sentido— de la poesía nicaragüense, como lo estaba en realidad para todos los jóvenes, no es menos cierto que por lo mismo, ha podido apropiársela sin el menor esfuerzo o hasta sin darse cuenta y hacerla suya en una forma ajena a toda influencia y que más bien hace patente su originalidad. Quiero decir que, gracias al proceso de la poesía nicaragüense, la poesía y la lengua de la poesía de Gioconda, no se derivan de la poesía o de la lengua de la poesía nicaragüense, es decir, de la lengua natural y corriente de la misma Gioconda. La verdad es que a diferencia de la poesía de casi todos, la de Gioconda Belli no se deriva de la poesía sino de la vida y más concretamente de la suya propia. En realidad tan suya es su poesía como su lengua y tan suyas las dos como su vida. Vida-lengua-poesía, poesía-lengua-vida, lengua-poesía-vida, en cualquier orden que se combinen las tres palabras, forman como una especie de mágico trébol para ponerlo como exlibris en un volumen de poemas de Gioconda Belli. En todo caso, es por su lengua que su poesía es su manera de realizar su libertad. Realizar es decir, vivir y convivir en su poesía de libertad. En tal sentido, Gioconda Belli, siendo ella misma en su propia lengua es de ese modo su poesía y vive de ella plenamente con toda libertad. Vive y convive su libertad en su poesía. Por lo demás, desde Rubén, el movimiento de la poesía en Nicaragua —del mismo modo que en los otros países de la lengua— muestra ese mismo avance hacia la libertad. Esto no puede más que conducir a una mayor autenticidad, porque la libertad es precisamente lo que hace posible, y al fin de cuentas necesaria, la autenticidad. Lo que Gioconda afirma siendo ella misma, es ante todo su libertad y esto la incluye desde luego en la revolución poética que en Nicaragua existe desde Rubén, pero lo más interesante en esta coyuntura es constatar acerca de ella —como trato de hacerlo— que en la lengua de su poesía, libertad significa no sólo naturalización y naturalidad, sino autenticidad. Por su deseo, o mejor dicho, por su necesidad de autenticidad, la lengua en que hace su poesía en casi nada se diferencia de la lengua en que vive, esto es, la lengua de su vida diaria, en la que dejaría de sentirse auténtica si no hablara de vos.

> *Cuando estoy con vos*
> *quisiera tener varios yo,*
> *invadir el aire que respirás,*
> *transformarme en un amor caliente*
> *para que me sudés*
> *y poder entrar y salir de vos,*

no sólo evadiendo el tú, capeándolo en las conjugaciones, sino jugando y conjugando en forma caprichosa, pasando de la gramática escolar a la popular y viceversa, hasta quizá influenciada lejana, inadvertidamente, por los discos y la radio, usando andás o dejas, según lo pida el movimiento natural del verso y más aún la auténtica naturalidad,

> *Te vas,*
> *te venís*
> *y dejas anillos en mi imaginación,*

porque para eso precisamente su lengua es suya, para poder decir exactamente lo que quiere decir y que lo puedan entender exactamente como lo dice, con palabras usadas igual que inusitadas, pero siempre felices, inesperadas y certeras, como cuando nos dice que estará «dilucidando nubes» o abandonando toda exigencia verbal, tiene el raro valor de escribir la más sencilla y espontánea de las exclamaciones:

> *¡Qué linda se ve mi muchachita dormida!*

que se parece al estupendo alejandrino medieval del Arcipreste de Hita:

> *¡Ay Dios, cuán fermosa viene Doña Endrina por la plaza!*

Los tres ejemplos anteriores, escogidos al azar, sólo me sirven para sugerir cómo Gioconda Belli se apropia de la lengua que hablamos entre nosotros, la hace realmente suya, poniéndole como quien dice su sello personal y la devuelve a la circulación convertida en poesía. Si se siguiera la metáfora, los poemas de Gioconda podrían compararse a monedas o billetes de poesía emitidos por ella y que llevan su efigie. Aunque supone el riesgo de producir una impresión equivocada, esa comparación daría pie para indicar la esencial diferencia entre poesía y economía, o más concretamente, entre el valor poético y el económico, que hoy no sólo se excluyen o anulan mutuamente, sino peor aún, en ciertos casos tienden más bien a confundirse. Esto, claro, nos metería en otra larga disgresión. Pero llegados a este punto, vuelve a cerrarse el círculo, se vuelve, se quiera o no, a desembocar en la poesía —en este caso en la poesía de Gioconda Belli— de la que no hay otra salida que la misma poesía y la poesía misma es quizá todavía una de las salidas de nuestro propio encierro. En este caso, por lo menos, no hay más salida que la entrada a la poesía de Gioconda Belli.

Thoreau decía que sólo en poesía podía hablarse de poesía, que viene a ser lo mismo que decir que sólo la poesía puede hablar de sí misma. Esto no es propiamente decir, como lo hacían los devotos de la poesía pura, que la poesía no puede hablar más que de la poesía. Me parece que la poesía, como hasta aquí lo ha hecho, de todo puede hablar y de todas maneras —aun las aún tenidas por no poéticas— ya que es lo que es porque lo que dice de la manera en que lo dice es la poesía. Pero de la poesía como tal, sólo me queda repetir lo mismo que ya dije, que es no sólo inefable, sino en sí misma indescriptible. Describir o clasificar o simplemente señalar los elementos y los métodos empleados en los poemas en sacarlos del ámbito de la misma poesía y despojarlos de su sentido o carácter poético. A la poesía no se llega sino por el poema y en el mismo poema, porque sólo es en él donde sus elementos, relaciones y movimientos existen como poesía. Pero la poesía no solamente en sí misma, ni tampoco la de cualquier poeta en particular y ni siquiera la poesía de un solo poema, se puede definir o analizar como poesía y aun describirla es descubrir otra cosa distinta de la poesía misma. En realidad lo que los críticos, los profesores y aún los filósofos dicen acerca de ella, lo dicen siempre de otra cosa que no es ella misma o que no es precisamente la poesía de la poesía. En tal sentido, al menos, es cierto lo de Thoreau, que de poesía no puede hablarse sino en poesía, porque lo que ésta puede decir de sí misma lo dice simplemente siendo como es. En Nicaragua, sin embargo, a pesar del empeño por expresarse lo más posible en la lengua de todos, poco se entiende lo que dice la poesía y casi nada la poesía de lo que ésta dice y del cómo lo dice. Sería inútil, por lo tanto, y por añadidura fatuo, tratar de entrar en la poesía de Gioconda Belli, a no ser a la par de sus otros lectores, es decir, simplemente, por la lectura de sus poemas. La lectura de un poema —mucho más rara entre cierta gente de lo que suele imaginarse, cuando no, en algún caso, secreta o vergonzante— y más aún de un libro de poesía, suele indicar alguna forma de gusto por ella y aunque a veces no pasa de simple curiosidad, no es improbable que conduzca a una experiencia auténtica de la poesía como tal. Los que lean este libro de poemas de Gioconda Belli y no logren el inmediato conocimiento, la experiencia directa de lo que es poesía, que pierdan la esperanza —*lasciate ogni speranza*— de llegar a saberlo.

José Coronel Urtecho
Las Brisas, febrero de 1974

POSDATA

Posdata 1983. Entre la fecha de la publicación del primer libro de poemas de Gioconda Belli, *Sobre la grama* (1974) y la de esta posdata (1983), ha sucedido nada menos que el acontecimiento capital, irrepetible, irreversible, de la historia de Nicaragua: la revolución. La Revolución Popular Sandinista.

La auroral, primaveral y corporal poesía de Gioconda Belli era más que un anuncio, un adelanto, una especie de previo florecimiento poético de la revolución, como de otra manera, en otra dimensión, lo era también la sangre de la guerrilla sandinista en la montaña y la de la guerrilla urbana en la propia Managua. Gioconda misma y su poesía, que no son dos sino una sola cosa, era ya parte de la materia prima de la revolución. Porque ya hacía mucho tiempo, mejor diría, siglos, que la revolución ardía en las entrañas del pueblo nicaragüense, pero hasta hacía poco, hasta quizá poco después del último terremoto de Managua, es que empezó la revolución a dar signos de vida en el alma y el cuerpo de las mujeres del país. Sus manifestaciones empezaron en todos los campos, en todas o casi todas las actividades femeninas, ya que en el fondo se trataba del gran movimiento mundial de la liberación de la mujer, que en Nicaragua pronto desembocaría y en cierto modo se confundiría, sin por eso perder su identidad, con la revolución político social del Frente Sandinista. La de la mujer nicaragüense era después de todo una revolución de la poesía y el amor, o del amor y la poesía, que en la mujer más que en el hombre son una misma cosa, como lo eran también, a su propio nivel, entre las sandinistas y los sandinistas de la clandestinidad. Una poesía de amor abierto, cuando no hermético, pero auténtico, trémulo, vivo, que pasaba como una corriente de vida, como electricidad, de la carne a la lengua, del cuerpo al habla; que es, en efecto, como empezó a pasar en mujeres poetas, como Ana Ilse y Gioconda Belli, dos personas tan diferentes casi opuestas, pero insuperables.

Mientras Ana Ilse, la intensa y contenida morena, se diría que extrae, con excruciante necesidad, de la médula de sus huesos, la deliciosa concreción poética de su más íntima experiencia femenina. Gioconda Belli como que exuda por todos sus poros la poesía vital, viva, carnal que llena toda su humanidad y que naturalmente brota de su piel, como el sudor del cuerpo de una muchacha que corre desnuda en la costa del mar.

Ambas insuperables poetas de Nicaragua, junto con tres o cuatro más de su generación, no sólo fueron pioneras o precursoras de la mejor poesía revolucionaria y por lo mismo de la misma revolución, sino además desde la victoria del 19 de julio de 1979 son también las que más y mejor han cultivado la poesía, las que la han hecho florecer con más frescura y abundancia y deliciosidad, contribuyendo con ese aporte maravilloso a la belleza y la riqueza y la fascinación del proyecto, el proceso, el hecho revolucionario, a la realidad revolucionaria, con tanta o más intimidad y relevancia que los viejos o nuevos poetas del otro sexo, con más autonomía y libertad y más independencia de los tabús, tapujos y tapojos del pasado colonial y burgués. Esto lo digo especialmente de Gioconda Belli. En Nicaragua, entre las mujeres, hay por lo menos media docena de poetas excepcionales, tan buenas como las mejores de cualquier parte. Hay tan buenas poetas como buenos poetas. Entre ellas, como entre ellos, grandes poetas.

Rubén Darío, Ernesto Cardenal, Carlos Martínez Rivas, etcétera, etcétera, etcétera, toda una larga lista de poetas, hombres y mujeres, que se puede estirar y encoger según el gusto y los prejuicios de los cada vez más numerosos lectores y oyentes de poesía de Nicaragua, en Nicaragua y fuera de Nicaragua; y en esa lista, entre los primeros, a la par de los mejores, está Gioconda Belli. Su poesía, inmediata, única, inconfundible, una de las más bellas y naturales voces de la revolución nicaragüense y por lo mismo de la revolución de la mujer nicaragüense, que no son dos revoluciones sino una sola revolución, nos seduce, nos induce y nos conduce a vivirla, hacerla nuestra, apropiárnosla, interiorizarla y experimentarla entre nosotros, es decir, en nosotros y dentro de nosotros. Así nos pasa, veo, con todas las que leemos en nuestra propia lengua, tan suya en ella, como también seguramente a los que sólo pueden leerla en otras lenguas a las que ha sido traducida. Su inequívoco acento, su realidad vivida, directamente transmitida, cuando ha sido realmente captada, no se puede perder ni en otro idioma. Leyendo una vez más a Gioconda Belli, como acostumbro hacerlo, me dan ganas de compararla, o por mejor decir, de ponerla a la par, no sólo de las mejores poetas actuales del mundo, sino de todas las grandes mujeres poetas que han existido desde Safo.

Uno al menos se siente tentado a decir de Gioconda Belli que está entre las grandes poetas —bueno, digamos «poetisas» por las que antes sufrían o todavía aceptan ser así llamadas—, que es una de las grandes poetas eróticas de todos los tiempos. De las pocas mujeres que han hecho franca y sincera poesía de amor.

Erotismo y amor están inextricablemente conjugados en sus poemas, en casi todos ellos, con todas las sensaciones y sentimientos de placer y dolor, de angustias y goces, alegrías y penas, que siempre les acompañan, y que sólo podemos saber cómo son en los textos de su poesía. Para clasificarlos nada más, en toda su complejidad y sutileza, un profesor tendría que escribir un libro.

Alguien me dijo un día, no sin envidia, que yo había dicho de Gioconda Belli, Gioconda de América. En realidad, pude haber dicho Gioconda del mundo.

José Coronel Urtecho

POESÍA

Y DIOS ME HIZO MUJER

Y dios me hizo mujer,
de pelo largo,
ojos,
nariz y boca de mujer.
Con curvas
y pliegues
y suaves hondonadas
y me cavó por dentro,
me hizo un taller de seres humanos.
Tejió delicadamente mis nervios
y balanceó con cuidado
el número de mis hormonas.
Compuso mi sangre
y me inyectó con ella
para que irrigara
todo mi cuerpo;
nacieron así las ideas,
los sueños,
el instinto.
Todo lo que creó suavemente
a martillazos de soplidos
y taladrazos de amor,
las mil y una cosas que me hacen mujer todos los días
por las que me levanto orgullosa
todas las mañanas
y bendigo mi sexo.

SOY LLENA DE GOZO

Soy llena de gozo,
llena de vida,
cargada de energías
como un animal joven y contento.
Imantada mi sangre con la naturaleza,
sintiendo el llamado del monte
para correr como venado desenfrenadamente,
sobando el aire,
o andar desnuda por las cañadas
untada de grama y flores machacadas
o de lodo,
que Dios y el Hombre me permitieran volver
a mi estado primitivo,
al salvajismo delicioso y puro,
sin malicia,
al barro, a la costilla,
al amor de la hoja de parra, del cuero,
del cordero a tuto,
al instinto.

ESTOY DESEANDO

Estoy deseando explotar
como vaina de malinche
para darle mis semillas al viento.

Perderme por los montes
embriagándome
              de aire
              de flores
borracha de primavera
              de amor
              de deseos
haciendo nacer árboles,
              vida,
desperdigándome por el mundo
en gritos de gozo,
en crujidos de ramas,
ser una con la tierra
en un árbol espeso.

METAMORFOSIS

La enredadera
se me está saliendo
por las orejas.

Mis ojos se han convertido
en pistilos movibles
y mi boca está repleta
de flores moradas.

Mientras camino
sigo llenando de hojas
la casa.

Mis ramas estorban en el cuarto,
sigo enredándome en todo;
ya mi nariz
también se ha puesto verde
y mis olores han cambiado,
tropiezo con los muebles
y mis piernas están rompiendo
los ladrillos,
buscando la tierra,
enredándome.

Mi pelo ya no me deja moverme,
está abrazado a las paredes,
los brazos se han hundido
sólo me quedan los dedos
mientras mi cuerpo

se ha vuelto tronco.

Con mis dedos
me toco toda
re-conociéndome
entre las hojas
y las ramitas
y las flores que llenan mi boca
y han teñido mis dientes.

Me repasan mis dedos
y su contacto es abono
para mis ramas que crecen
y ya por fin,
después de mucho resistir,
se han rendido las manos
y están saliendo puyitas
de las uñas.

Mi boca llena de flores moraditas
ha cuajado mi cuerpo
y estoy enredadera,
metamorfoseada,
espinosa,
sola,
hecha naturaleza.

SIENTO QUE VOY ALEJÁNDOME

Siento que me voy alejando, que voy saliéndome poco a poco, de esta realidad de las mañanas y las tardes y voy entrando a un mundo que estoy construyéndome con mis deseos y mis ansiedades y todas las cosas reprimidas que empiezan a querer salírseme y que me empujan, casi sin darme cuenta en la incertidumbre, allí donde deberé quedarme sola, donde me da miedo ir porque sé que tendré que asumir toda la responsabilidad del haberme dado cuenta, del saber que no todo es aire y agua y pan y leche y que hay algo más que nos rodea, que está en la atmósfera, que nos persigue y espera para envolvernos en esa belleza dolorosa que quisiéramos compartir y acercarla a los demás pero que, al contrario, nos aleja, nos hace sentirnos irreales, diferentes, como que acabáramos de nacer a un mundo que no conocimos hasta entonces o como que hubiésemos llegado de la estrella más cercana o de la más lejana y estamos abiertos totalmente a las hojas, al ruido, sintiendo derramarse la vida, sintiendo que nos acercamos a esa, la verdadera realidad, aunque todos crean lo contrario y nosotros no podamos explicárselos.

SIEMPRE

Siempre esta sensación de inquietud. De esperar más.
Hoy son las mariposas y mañana será la tristeza
inexplicable, el aburrimiento o la actividad desenfrenada
por arreglar este o aquel cuarto, por coser, por ir aquí o
allá a hacer mandados, mientras trato de tapar el Universo
con un dedo, hacer mi felicidad con ingredientes de
receta de cocina, chupándome los dedos a ratos y a ratos
sintiendo que nunca podré llenarme, que soy un barril sin
fondo, sabiendo que «no me conformaré nunca» pero
buscando absurdamente conformarme mientras mi
cuerpo y mi mente se abren, se extienden como poros
infinitos donde anida una mujer que hubiera deseado ser
pájaro, mar, estrella, vientre profundo dando a luz
Universos, novas relucientes... y ando reventando
palomitas de maíz en el cerebro, blancas motitas de
algodón, ráfagas de poemas que me asaltan todo el día y
hacen que quiera inflarme como globo para llenar el
mundo, la Naturaleza, para empaparme en todo y estar en
todas partes, viviendo una y mil vidas diferentes...

Más he de recordar que estoy aquí y que seguiré
anhelando, agarrando pizquitas de claridad, haciendo yo
misma mi vestido de sol, de luna, el vestido verde-color
de tiempo con el que he soñado vivir alguna vez en Venus.

ESCRIBIRTE

Escribir, escribirte, dibujarte. Llenarte el pelo de todas las palabras detenidas, colgadas en el aire, en el tiempo, en aquella rama llena de flores amarillas del cortés cuya belleza me pone los pelos de punta cuando vengo bajando sola, por la carretera, pensando. Definir el misterio, el momento preciso del descubrimiento, el amor, esta sensación de aire comprimido dentro del cuerpo curvo, la explosiva felicidad que me saca las lágrimas y me colorea los ojos, la piel, los dientes, mientras voy volviéndome flor, enredadera, castillo, poema, entre tus manos que me acarician y me van deshojando, sacándome las palabras, volteándome de adentro para afuera, chorreando mi pasado, mi infancia de recuerdos felices, de sueños, de mar reventando contra los años, cada vez más hermoso y más grande, más grande y más hermoso.

Cómo puedo agarrar la ilusión, empuñarla en la mano y soltártela en la cara como una paloma feliz que saliera a descubrir la tierra después del diluvio; descubrirte hasta en los reflejos más ignorados, irte absorbiendo lentamente, como un secante, perdiéndome, perdiéndonos los dos, en la mañana en la que hicimos el amor con todo el sueño, el olor, el sudor de la noche salada en nuestros cuerpos, untándonos el amor, chorreándolo en el piso en grandes olas inmensas, buceando en el amor, duchándonos con el amor que nos sobra.

Y...

Y va naciendo
el pretexto para decir tu nombre
en la noche remojada,
tierna y húmeda
como la flor de grandes ojos abiertos
y pétalos palpitantes
en la que me envolví
en lo más profundo del sueño,
para dibujar tu nombre
en todos los rincones
donde he vivido y viviré
hasta que me lleve el viento,
como semilla,
a dar flor a tierras desconocidas
y me encarne quizás en la niña
que oirá historias
en las tardes iguales de Nicaragua
con el olor a tierra naciendo,
urdiendo en sus entrañas
la vida verde del trópico lujurioso
como yo, como vos,
como las hojas en que nos envolvimos
cuando nos arrojaron del paraíso.

BIBLIA

Sean mis manos como ríos
entre tus cabellos.

Mis pechos como naranjas maduras.

Mi vientre un comal cálido para tu hombría.

Mis piernas y mis brazos sean como puertas,
como puertos para tus tempestades.

Mi pelo como algodón en rama.

Todo mi cuerpo sea hamaca para el tuyo,
y mi mente tu olla,
tu cañada.

YO SOY

Yo soy tu cama,
tu suelo,
soy tu guacal
en el que te derramás sin perderte
porque yo amo tu semilla
y la guardo.

LLENA DE GRUMOS

Llena de grumos.

Aspera de vida.

Estoy tensa como un arco
esperando tu flecha,
para atravesar de gozo
los campos llenos de amapolas explotando.

Me he acoplado a tu nave
vámonos juntos
seré tierra para tu semilla.

TE VEO COMO UN TEMBLOR

Te veo como un temblor
en el agua.

Te vas,
te venís,
y dejas anillos en mi imaginación.

Cuando estoy con vos
quisiera tener varios yo,
invadir el aire que respirás,
transformarme en un amor caliente
para que me sudés
y poder entrar y salir de vos.

Acariciarte cerebralmente
o meterme en tu corazón y explotar
con cada uno de tus latidos.

Sembrarte como un gran árbol en mi cuerpo
y cuidar de tus hojas y tu tronco,
darte mi sangre de savia
y convertirme en tierra para vos.

Siento un viento cosquilloso
cuando estamos juntos,
quisiera convertirme en risa,
llena de gozo,
retozar en playas de ternuras
recién descubiertas,

pero que siempre presentí,
amarte, amarte
hasta que todo se nos olvide
y no sepamos quién es quién.

CASTILLOS DE ARENA

¿Por qué no me dijiste que estabas construyendo
ese castillo de arena?

Hubiera sido tan hermoso
poder entrar por su pequeña puerta,
recorrer sus salados corredores,
esperarte en los cuartos de conchas,
hablándote desde el balcón
con la boca llena de espuma blanca y transparente
como mis palabras,
esas palabras livianas que te digo,
que no tienen más que el peso
del aire entre mis dientes.

Es tan hermoso contemplar el mar.

Hubiera sido tan hermoso el mar
desde nuestro castillo de arena,
relamiendo el tiempo
con la ternura
honda y profunda del agua,
divagando sobre las historias que nos contaban
cuando, niños, éramos un solo poro
abierto a la Naturaleza.

Ahora el agua se ha llevado tu castillo de arena
en la marea alta.

Se ha llevado las torres,

los fosos,
la puertecita por donde hubiéramos pasado
en la marea baja,
cuando la realidad está lejos
y hay castillos de arena
sobre la playa...

EL RECUERDO

La música, el mar y esa sensación caliente que se me va
regando por dentro. El recuerdo, la ternura, la depresión y
todas esas cosas que me van haciendo, que van dibujando
las hebras de mi pelo en tu camisa, que van llegando a mis
ojos, a mi boca, llenándome de nostalgia, de agua salada,
de luna cortada en pedazos y envuelta en papel plateado,
de tu nombre, del nombre que no existe, de lo que
tenemos y lo que nos falta, de todo eso que tengo
dentro, que me recorre y me da esa sensación caliente
que te lleva y te trae.

ABANDONADOS

Tocamos la noche con las manos,
escurriéndonos la oscuridad entre los dedos,
sobándola como la piel de una oveja
                                   negra.

Nos hemos abandonado al desamor,
al desgano de vivir colectando horas en el vacío,
en los días que se dejan pasar y se vuelven a repetir,
intrascendentes,
sin huellas, ni sol, ni explosiones radiantes de claridad.

Nos hemos abandonado dolorosamente a la soledad,
sintiendo la necesidad del amor por debajo de las uñas,
el hueco de un sacabocados en el pecho,
el recuerdo y el ruido como dentro de un caracol
que ha vivido ya demasiado en una pecera de ciudad
y apenas si lleva el eco del mar en su laberinto de concha.

¿Cómo volver a recapturar el tiempo?

¿Interponerle el cuerpo fuerte del deseo y la angustia,
hacerlo retroceder acobardado
por nuestra inquebrantable decisión?

Pero... quién sabe si podremos recapturar el momento
                                   que perdimos.

Nadie puede predecir el pasado
cuando ya quizás no somos los mismos,

cuando ya quizás hemos olvidado
el nombre de la calle
donde
alguna vez
pudimos
encontrarnos.

DESPARRAMADAS

Estaban allí,
desparramadas,
las flores del árbol grande
que no sé cómo se llama
y que florece rosado en las tardes,
esas tardes hermosas
en que tu recuerdo
es una sola corriente que vibra en mi sangre,
como esas flores vibran sobre el pavimento,
vuelan sobre los techos de las casas,
se enredan en el pelo de aquella vieja caminando despacio,
o en aquella fuente, mi amor
o en aquella fuente...

ESTARÉ

Estaré dilucidando nubes. Tratando de ponerle a mi corazón la mancha grande del amor. Llevándome en un saco la lluvia junto con mis lágrimas y los poemas que buscan mi medida, la tuya, y están sentados al borde de la acera esperando que yo los recoja, que pueda sacarle a la vida la gran respuesta, el mensaje, la diferencia entre una vida y otra, entre un cielo y una tierra.

TE DUERMES

Te duermes a mi lado. Caes silenciosamente en ese mundo donde yo puedo ser alguna remota conocida, una compañera de banca de parque o la amante que acabas de dejar para evadirte a esa región donde, mutuamente, nos privamos de la palabra.

Me conmueve verte dormido, hundido en las sábanas con el abandono del sueño, enigmáticamente encerrado en tu cuerpo.

También yo me dormiré y entonces quizás te despiertes y pienses esto que yo estoy pensando, tal vez me imaginarás enredada en algún árbol enmarañado de los que sabes que me encantan y me quieras alcanzar tocándome, sacándome del mutismo de estación de radio apagada, volviéndome a traer hacia tu lado, hacia el amor que nos dio el sueño.

DIME

Dime que no me conformarás nunca,
ni me darás la felicidad de la resignación,
sino la felicidad que duele de los elegidos,
los que pueden abarcar el mar y el cielo con sus ojos
y llevar el Universo dentro de sus cuerpos:

Y yo te vestiré con lodo y te daré a comer tierra
para que conozcas el sabor de vientre del mundo.

Escribiré sobre tu cuerpo la letra de mis poemas
para que sientas en ti el dolor del alumbramiento.

Te vendrás conmigo: Haremos un rito del amor
y una explosión de cada uno de nuestros actos.

No habrán paredes que nos acorralen,
ni techo sobre nuestras cabezas.

Olvidaremos la palabra
y tendremos nuestra propia manera de entendernos;
ni los días, ni las horas podrán atraparnos
porque estaremos escondidos del tiempo en la niebla.

Crecerán las ciudades,
se extenderá la humanidad invadiéndolo todo;
nosotros dos seremos eternos,
porque siempre habrá un lugar del mundo que nos cubra
y un pedazo de tierra que nos alimente.

ESPERÁNDOLO

Por la mañana
me alzo como gacela
gozosa entre el monte
                    esperándote.

Al medio día,
hundida entre flores,
voy dibujando
tu nombre en el vientre de agua del río.

En el crepúsculo,
llena de amor, me doblo
y luego voy a esperarte
a que vengas de noche,
a que vengas a posarte en mí como un pájaro
y ondees tu cuerpo
como bandera
sobre mi cuerpo.

MENSTRUACIÓN

Tengo
la «enfermedad»
de las mujeres.

Mis hormonas
están alborotadas,
me siento parte
de la naturaleza.

Todos los meses
esta comunión
del alma
y el cuerpo;
este sentirse objeto
de leyes naturales
fuera de control;
el cerebro recogido
volviéndose vientre.

TENGO

Tengo en mis ovarios
semillas,
poemas sin empezar,
llantos y risas congelados.

Quisiera poder visitar
esos enormes almacenes,
                diminutos,
conocer los hijos
que nunva tendré;
pedirles perdón
a través de la sangre.

MATERNIDAD II

Mi cuerpo,
como tierra agradecida,
se va extendiendo.

Ya las planicies de mi vientre,
van cogiendo la forma
de una redonda colina palpitante,
mientras por dentro,
en quién sabe qué misterio
de agua, sangre y silencio
va creciendo como un puño que se abre
el hijo que sembraste
en el centro de mi fertilidad.

FETO

Tú
pequeño ser,
estás creciendo dentro de mí
dándome una nueva dimensión.

(Has aumentado mi volumen: cuando bajo las escaleras
no puedo verme los pies. Tengo que subir con cuidado
a los carros y caminar despacio por las calles.)

Por las noches ya me despiertas
con tu suave golpeteo
a las puertas de mi casa más secreta.

Platicamos sin palabras
y luego te arrullo
con el correr de mi sangre
y los latidos de mi corazón.

Sientes los pájaros primero que yo
y tu vida rebulle contenta
como la colita de un perro
en la mañana.

Eres mi pequeño habitante
con el que vivo frente a frente
y yo soy tu saco amniótico,
diminuta humanidad sin sexo,
al que a veces imagino mujer
y otras hombre,

al que quiero sin ver
y conozco sin conocer,
nutriéndote y esperando
el momento de nuestra cita.

PARTO

Me acuerdo
cuando nació mi hija.

Yo era un solo dolor miedoso,
esperando ver salir de entre mis piernas
un sueño de nueve meses
con cara y sexo.

DANDO EL PECHO

Al cogerla tengo que tener cuidado.

Es como tratar de cargar un montoncito de agua
sin que se derrame.

Me siento en la mecedora,
la acuno,
y al primer quejido,
empiezo a dar leche como vaca tranquila.

Ella vuelve a ser mía,
pegadita a mí,
dependiendo de mí
como cuando sólo yo la conocía
y vivía en mi vientre.

LA MUCHACHITA

Ya se quedó dormida la muchachita.

Cerró de nuevo su corazón de palma.

Terminó su lección de 24 horas en que la vida
es un juguete que se arma y desarma.

¡Qué linda se ve mi muchachita dormida!

Parece un mar que se quedara quieto de repente,
o una canción que no necesitara viento para oírse;
mi muchachita-milagro, mi deslumbrante mujercita en
    miniatura...

Pequeña y misteriosa mano, pestañas que salieron de mi
    vientre.

¿Dónde estará escondida esa maravillosa fuerza
que me tejió por dentro esa muñeca?

¿Cómo fue que el amor floreció de esta manera?

¡Qué estrella me reventó en el sexo
y me entregó este chiquito planeta perfecto...!

A MELISSA, MI HIJA

Te quiero con el pelo,
los ojos, los brazos y las piernas.

Todo lo que soy yo
te quiere y te conoce.

Mi amor es como un cántaro
que, lleno de agua, nunca se rebalsa.

Mi amor me hace universal y planetaria,
me une a los animales y las plantas,
me hace enorme, incontenible, inmensa,
canta en mi cuerpo,
reboza de ternura,
te hace nacer de nuevo
en un parto infinito,
mientras te duermes
apretadita y contenta
contra mí.

DÁNDOSE

Escribir para darle forma al mundo,
para delinear el perfil de la lágrima,
la tristeza del árbol cortado.

Escribir para despojarnos de la mañana recién nacida,
para irnos desnudando del dolor y la alegría,
para re-vestirnos otra vez, del sol, del mar,
de la pareja que inspira ternura sin saberlo.

Ir deshaciéndonos del propio cuerpo,
sustituirlo por otros cuerpos que viven
y sienten en nosotros,
compartir la angustia, la risa, el pan
con los seres que creamos, con el mundo
que nos alimenta sin saberlo
mientras nos damos,
mientras sentimos cada día con más fuerza
la necesidad de vomitarnos,
de darnos completamente,
de morir para abonar la tierra
que de nuevo alimentará nuestras raíces.

CREDO

Creo que mi poesía nace de la felicidad,
de esa conciencia dolorosa de ser feliz
sin motivo, ser feliz como una necesidad
intransigente que no admite los momentos
de tristeza, que exige la risa, el sol,
a lo largo de todos los días, en los ratos
más inesperados porque para escribir
necesito ser feliz, sentirme como un
caballo relinchón, explotar las palabras
como malinchazos, llenarme de maleza cos-
quillosa hasta el borde, hasta que se me
salga el alma, el goce que me hace poeta.

DÁTEME POEMA

Dáteme poema.

No te me niegues como el niño juguetón
de mis sueños,
como el hijo que existe
en el ambiente interior de mis entrañas,
envuelto en un pequeño óvulo
en las trompas de Falopio.

Dáteme sin pasado obsesivo anatómico o erótico.

Dáteme sencillo,
dáteme desde afuera,
desde la piedra de algún camino
o desde el silencio de un ascensor
que lleva dos o tres personas desconocidas,
calladas en el silencio embarazoso
de la indiferencia.

Dáteme desde el agua,
desde la nieve inexistente de los trópicos,
dáteme rojo o azul,
confuso o transparente,
pero girarme el alma,
voltéame la mirada a otra parte,
haceme ver los pies sucios del pueblo,
el estómago grande del pueblo.

No me dejés tranquila, poema:

asaltame,
violame,
rebalsame los bordes,
los pliegues, los pechos
inundame de maravilloso asombro,
llename entera con el semen vital de la palabra,
con el milagro de un descubrimiento,
dáteme poema,
dáteme poema.

MI SANGRE

Mi sangre acarrea letras
dentro de mi cuerpo.

Ando una sensación extraña
en la cabeza,
una sensación de olas reventando,
de presa contenida
de túnel de viento.

A través de varios días
todo es más bello de repente,
cada calle y cada cara son bellas,
hasta los botes de basura son bellos.

Siento que soy un bosque
que hay ríos dentro de mí,
montañas,
aire fresco, ralito
y me parece que voy a estornudar flores
y que, si abro la boca,
provocaré un huracán con todo el viento
que tengo contenido en los pulmones.

Me va persiguiendo el presentimiento
del poema próximo a nacer,
naciendo como ahora,
brotando una primavera
en mis manos.

A BORBOTONES

A borbotones
estoy creando
palabras.

Me retuerzo en dolores
de parto.

Cada poema
es mi carne
y mi sangre.

No quiero quedarme
sin nada.

No dejaré que salga
la placenta.

POEMA A LAS HOJAS DE PAPEL

Vamos.

Nos esperan las vírgenes blancas
con sus caras desafiantes y planas sobre las mesas.

¿Cómo hemos de violar sus secretos?
¿Su antigua historia nacida de madera?

Vamos.

Desenvainemos la imaginación,
los sueños,
los recuerdos,
las pestañas sombrías de la Naturaleza,
lo que no existe más que en ninguna parte
y caminemos sobre estas vírgenes blancas,
mudamente desafiantes,
angustiosamente frustradas,
con temor al desperdicio.

Hay que darles golpes certeros y pesados,
apoyarnos sobre ellas, palparlas,
no dejar de poner lo que pueda lastimarlas,
porque estas vírgenes
están esperando que nuestras palabras las desfloren,
las entreguen a ese océano
donde andarán de un lugar a otro,
sobadas,
manoseadas,

arrugadas,
como en un inacabable prostíbulo de ojos y manos.

LA ETERNA PREGUNTA

La eterna pregunta de la identidad:
ser o no ser.

Dejarse ir,
o quedarse en esta orilla,
en la seguridad,
o ir allá donde el paisaje se adivina frondoso,
se percibe
y casi nos parece oler las flores del otro lado
y nos vamos embriagando del olor presentido
que nos va penetrando,
y son las flores, las enredaderas,
el agua del otro lado que nos está sonando en la memoria
con su olor a mango,
y es ese sentir que el corazón está próximo a estallar
(el olor del malinche, las explosiones del malinche),
los faunos,
un día que se va,
un día que pudimos haber estado al otro lado
y no estuvimos.

ESCRITO ANTE UNA TUMBA INDIA

Tú, puede que estés allí.

Tú, mi amante milenario.

Puede que estés enterrado
en ese túmulo vegetal
de cuatro lajas,
puede que estés consumido,
reducido a un conjunto de huesos
tu cuerpo de guerrero,
cazador de jaguares,
hombre ancestral.

Puede que estés allí
enterrado con todas las ollas
que yo pinté para ti
en las largas noches de luna llena,
cuando esperaba que regresaras
con el esplendor de un león cansado
después de la caza,
a buscar abrigo sobre mis piernas.

Puede que estés allí,
que seas nada más que un recuerdo blanco y polvoso,
un conjunto de memorias.

Yo te traigo en el tiempo
hacia mi nueva reencarnación mestiza
y aúllo de dolor porque te he perdido.

Indio salvaje,
me haces señas a través de los siglos,
a través de todos los descubrimientos,
vuelves a vivir en mis ansias de monte,
de desnudez...

                  de milpas...

ALGUNOS POETAS

Como libros abiertos,
llenos de citas,
llegan a las reuniones
dejando caer nombres, obras y fechas
como trofeos,
esgrimiendo la lógica
hasta el final de las consecuencias.

Así quieren hacernos a su modo
algunos poetas,
siguiendo la vieja tradición paternalista
tratan de adoptarnos
a falta de poder apresar
el viento, la fruta prohibida,
la misteriosa fertilidad
de nuestros poemas.

INVITACIÓN A VAGAR

Vago

Vaga

Vaguemos

Desafiemos el aire que nos corta el paso,
la realidad que es como palo de donde estamos amarrados.

Paseemos por las aceras
ante las ancianidades que calientan sus butacos
con el calor animal de sus cuerpos ya inservibles,
esperando la muerte,
frustrándose cada día más
y criticando a los que vagamos,
queriéndonos medir con sus arcaicas longitudes.

Riámonos por dentro y saludémoslos muy serios,
(por fuera)
No es pecado tratarlos con su misma moneda: hipócritas.

Vago

Vaga

Vaguemos

Desafiemos las reputaciones y las miradas de los buitres.

Edifiquemos nuestras vidas sin patrocinadores,
teniendo sólo a Dios como juez y testigo.

Prefiero acabar mis días en alguna ribera desconocida,
sin nombre, ni apellido
que tener que ver sus caras,
antes de cerrar los ojos.

UNO NO ESCOGE

Uno no escoge el país donde nace;
pero ama el país donde ha nacido.

Uno no escoge el tiempo para venir al mundo;
pero debe dejar huella de su tiempo.

Nadie puede evadir su responsabilidad.

Nadie puede taparse los ojos, los oídos,
enmudecer y cortarse las manos.

Todos tenemos un deber de amor que cumplir,
una historia que hacer
una meta que alcanzar.

No escogimos el momento para venir al mundo:
Ahora podemos hacer el mundo
en que nacerá y crecerá
la semilla que trajimos con nosotros.

ENTRE LAS MILPAS

Entre las milpas
sembraremos
nuestros sueños indígenas,
nuestro amor a la Tierra
y la fecundidad de nuestros cuerpos.

Entre las milpas,
enterraremos los cadáveres de los héroes
para que les den el color dorado a las mazorcas
y nos alimenten.

DESCOBIJÉMONOS

¡Descobijémonos!

¡Despojémonos de los artificios!

Regalémosle al mundo la hermosura de la desnudez,
regalémosle nuestras vidas sin taparrabos.

No debemos negarles la verdad a los amigos,
ni a los enemigos,
aunque les duela como una llaga en la cara,
no debemos guardarla.

Hay que reventarla con determinación en sus caminos,
sembrándoles la gran interrogación,
echándoles a revolotear la inquietud del insomnio
y el desconcierto;
aquello de desenredar la madeja del hilo enmarañado
hasta el agotamiento o el compromiso,
hasta la inmortalidad
o la muerte.

INACTIVIDAD

Y escribimos,
hablamos como desesperados
hacemos y deshacemos la historia
en las reuniones,
mientras el tiempo va pasando
y vamos agachando
cada día más,
la cabeza.

QUEDARÁ DE NOSOTROS

Al menos flores, al menos cantos...

Quedará de nosotros
algo más que el gesto o la palabra:
Este deseo candente de libertad,
esta intoxicación,
              se contagia!

HUELGA

Quiero una huelga donde vayamos todos.
Una huelga de brazos, de piernas, de cabellos,
una huelga naciendo en cada cuerpo.

Quiero una huelga
de obreros   de palomas
de choferes   de flores
de técnicos   de niños
de médicos   de mujeres

Quiero una huelga grande,
que hasta al amor alcance.
Una huelga donde todo se detenga,
el reloj   las fábricas
el plantel   los colegios
el bus   los hospitales
la carretera   los puertos

Una huelga de ojos, de manos y de besos.
Una huelga donde respirar no sea permitido,
una huelga donde nazca el silencio
                para oír los pasos
                del tirano que se marcha.

HASTA QUE SEAMOS LIBRES

Ríos me atraviesan,
montañas horadan mi cuerpo
y la geografía de este país
va tomando forma en mí,
haciéndome lagos, brechas y quebradas,
tierra donde sembrar el amor
que me está abriendo como un surco,
llenándome de ganas de vivir
para verlo libre, hermoso,
pleno de sonrisas.

Quiero explotar de amor
y que mis charneles acaben con los opresores
cantar con voces que revienten mis poros
y que mi canto se contagie;
que todos nos enfermemos de amor,
de deseos de justicia,
que todos empuñemos el corazón
sin miedo de que no resista
porque un corazón tan grande como el nuestro
resiste las más crueles torturas
y nada aplaca su amor devastador
y de latido en latido
va creciendo,
más fuerte,
más fuerte,
más fuerte,
ensordeciendo al enemigo
que lo oye brotar de todas las paredes,

lo ve brillar en todas las miradas
lo va viendo acercarse
con el empuje de una marea gigante
en cada mañana en que el pueblo se levanta
a trabajar en tierras que no le pertenecen,
en cada alarido de los padres que perdieron a sus hijos,
en cada mano que se une a otra mano que sufre.

Porque la fuerza de este amor
lo irá arrollando todo
y no quedará nada
hasta que no se ahogue el clamor de nuestro pueblo
y gritos de gozo y de victoria
irrumpan en las montañas,
inunden los ríos,
estremezcan las ramas de los árboles.

Entonces,
iremos a despertar a nuestros muertos
con la vida que ellos nos legaron
y todos juntos cantaremos
mientras conciertos de pájaros
repiten nuestro mensaje
en todos
los confines
de América.

¿QUÉ SOS NICARAGUA?

¿Qué sos
sino un triangulito de tierra
perdido en la mitad del mundo?

¿Qué sos
sino un vuelo de pájaros

> guardabarrancos
> cenzontles
> colibríes?

¿Qué sos
sino un ruido de ríos
llevándose las piedras pulidas y brillantes
dejando pisadas de agua por los montes?

¿Qué sos
sino pechos de mujer hechos de tierra,
lisos, puntudos y amenazantes?

¿Qué sos
sino cantar de hojas en árboles gigantes
verdes, enmarañados y llenos de palomas?

¿Qué sos
sino dolor y polvo y gritos en la tarde,
—«gritos de mujeres, como de parto»—?

¿Qué sos, Nicaragua
sino puño crispado y bala en boca?

¿Qué sos, Nicaragua
para dolerme tanto?

EL TIEMPO QUE NO HE TENIDO EL CIELO AZUL

quien no sabe que a esta altura
el dolor es también un ilustre apellido...
Mario Benedetti

El tiempo que no he tenido el cielo azul
y sus nubes gordas de algodón en rama,
sabe que el dolor del exilio
ha hecho florecer cipreses en mi carne.
Es dolor el recuerdo de la tierra mojada,
la lectura diaria del periódico
que dice que suceden
cada vez más atrocidades,
que mueren y caen presos los amigos
que desaparecen los campesinos
como tragados por la montaña.

Es dolor este moverme en calles
con nombres de otros días, otras batallas,
de otros personajes que no son de mi historia.
Es dolor caminar entre caras desconocidas
con quienes no puedo compartir un poema,
hablar de cosas de la familia
o simplemente despotricar contra el gobierno.

Es dolor llegar hasta el borde,
ver de lejos el lago,
los rótulos en la carretera: Frontera de Nicaragua
y saber que aún no se puede llegar más allá,
que lo más que se puede es empinarse
y tratar de sentir el olor de las flores y campos
     y quemas.

Es dolor,
pero se crece en canto
porque el dolor es fértil como la alegría
riega, se riega por dentro,
enseña cosas insospechadas,
enseña rabias
y viene floreciendo en tantas caras
que a punta de dolor
es seguro que pariremos
un amanecer
para esta noche larga.

CLARO QUE NO SOMOS UNA POMPA FÚNEBRE

claro que no somos una pompa fúnebre,
usamos el derecho a la alegría...
Mario Benedetti

Claro que no somos una pompa fúnebre,
a pesar de todas las lágrimas tragadas
estamos con la alegría de construir lo nuevo
y gozamos del día, de la noche
y hasta del cansancio
y recogemos risa en el viento alto.

Usamos el derecho a la alegría,
a encontrar el amor
en la tierra lejana
y sentirnos dichosos
por habernos hallado compañero
y compartir el pan, el dolor y la cama.

Aunque nacimos para ser felices
nos vemos rodeados de tristezas y vainas,
de muertes y escondites forzados.
Huyendo como prófugos
vemos cómo nos nacen arrugas en la frente
y nos volvemos serios,
pero siempre por siempre
nos persigue la risa
amarrada también a los talones
y sabemos tirarnos una buena carcajada
y ser felices en la noche más honda y más cerrada,
porque estamos construidos de una gran esperanza,

de un gran optimismo que nos lleva alcanzados
y andamos la victoria colgándonos del cuello,
sonando su cencerro cada vez más sonoro
y sabemos que nada puede pasar que nos detenga
porque somos semilla y habitación de una sonrisa
      íntima
que explotará
ya pronto
en las caras
de todos.

NECESITAMOS AIRE PARA RESPIRAR

Todos pedimos aire,
aire para reír y suspirar,
aire para que nuestras palabras
no se estrellen en murallas
construidas a punta de muerte.

Es por el aire por lo que cantamos,
poetas, músicos, habladores,
nuestro pueblo está sediento de aire,
se está ahogando nuestro pueblo
en el olor fétido de la carroña.

Es aire lo que se respira en el subsuelo
allí donde se esconde el verbo nuevo.
Es aire lo que se respira en las montañas,
a pesar de los gritos,
es aire lo que se respira,
es aire,
todos están oliendo
—subrepticiamente y a escondidas—
un aire limpio.

CON PREMURA NICARAGÜENSE VIVIMOS

con premura nicaragüense...
Carlos Martínez Rivas

Con premura nicaragüense vivimos,
como magos,
sacándonos de la manga la desesperanza,
echándola a volar
sin darle cabida
y produciendo desde el sombrero
la inacabable fila de pañuelos de colores
para sonreír
para que brote la risa como guitarra del monte,
para reírnos
hasta de nuestra propia desgracia.

Así caminamos,
descalzos sobre esta tierra labrada
—de lágrimas y muertos—
como caballos
pero siempre caminando
inventando alquimias
para que brote el pan nuestro de cada día
y no muramos hoy
y sigamos luchando.

VESTIDOS DE DINAMITA

Me tengo que ir a comprar las pinturas con las que me disfrazo todos los días para que nadie adivine que tengo los ojos chiquitos —como de ratón o de elefante—. Estoy yéndome desde hace una hora pero me retiene el calor de mi cuarto y la soledad que, por esta vez, me está gustando y los libros que tengo desparramados en mi cama como hombres con los que me voy acostando, en una orgía de piernas y brazos que me levantan el desgano de vivir y me arañan los pezones, el sexo, y me llenan de un semen especial hecho de letras que me fecundan y no quiero salir a la calle con la cara seria cuando quisiera reír a carcajadas sin ningún motivo en especial más que este sentirme preñada de palabras, en lucha contra la sociedad de consumo que me llama con sus escaparates llenos de cosas inalcanzables y a las que rechazo con todas mis hormonas femeninas cuando recuerdo las caras gastadas y tristes de las gentes en mi pueblo que deben haber amanecido hoy como amanecen siempre y como seguirán amaneciendo hasta que no nos vistamos de dinamita y nos vayamos a invadir palacios de gobierno, ministerios, cuarteles... con un fosforito en la mano.

AVANZANDO

A veces pienso que soy una arquitecta del tiempo,
siento que voy dibujando planos con pasados,
    presentes y futuros,
urdiendo una delicada caja de palitos de fósforos
    donde vivo
—incomprensiblemente sin pensar en tormentas—
Aunque a ratos me asalten las dudas, brinco como
    caballo de carreras
sobre su bien construidas estructuras y sigo, sigo
    hacia ese final donde
me espera el bosque verde, la iluminación y el sueño
    callado donde nada
me acompañará sino la tierra con su murmullo de
    vientre.

ARMAR TU VIDA

Armar tu vida.
Irla haciendo como rompe-cabezas.
Conjurar el futuro.
Construir la esperanza.
Aunque a veces te sintás marchita, cerrada, envuelta en noche
amarga, punzante tu centro, sabés que siempre habrá sol para
revivirte, zarandearte, para que levantés la cabeza y volvás a
sonreír, a estar, con esa fuerza vital que te asemeja a malinche o
al cortés, cuando secos y mustios persisten, en la certeza vegetal
de que habrá de llegar el día en que despertarán florecidos, vi-
brantes, llenando el campo con sus llamaradas naranjas, amarillas, cuando pase el tiempo de las vainas y de las ramas secas.

ESTOY GUARDANDO EL ARCO DE LA PALMERA

Estoy guardando el arco de la palmera,
la brisa que la mueve de un lado a otro.
Estoy esperando la palabra que habrá de salvarme de
     los artificios,
la contraseña que habrá de revestirme de nube o
     arcoiris,
la que me apartará del gesto ocupado de levantar el
     teléfono para decir fórmulas,
la que me sacará de las serias paredes de una oficina
donde estoy como paloma enjaulada, haciendo que
     hago,
mientras por fuera hay flores, rabia, sudor, manos
que esperan el redondo amor gatillo de pistola.

LA MADRE

La madre
se ha cambiado de ropa.
La falda se ha convertido en pantalón,
los zapatos en botas,
la cartera en mochila.
No canta ya canciones de cuna,
canta canciones de protesta.
Va despeinada y llorando
un amor que la envuelve y sobrecoge.
No quiere ya sólo a sus hijos,
ni se da sólo a sus hijos.
Lleva prendidas en los pechos
miles de bocas hambrientas.
Es madre de niños rotos
de muchachitos que juegan trompo en aceras polvosas.
Se ha parido ella misma
sintiéndose —a ratos—
incapaz de soportar tanto amor sobre los hombros,
pensando en el fruto de su carne
—lejano y solo—
llamándola en la noche sin respuesta,
mientras ella responde a otros gritos,
a muchos gritos,
pero siempre pensando en el grito solo de su carne
que es un grito más en ese griterío de pueblo que
        la llama
y le arranca hasta sus propios hijos
de los brazos.

YA VAN MESES, HIJITA

Ya van meses, hijita
que no te veo.
Meses en que mi calor
no ha arrullado tu sueño.
Meses en que sólo
hemos hablado por teléfono
—larga distancia, hay que hablar aprisa—
¿Cómo explicarte, mi amor,
la revolución a los dos años y medio?
¿Cómo decirte: Las cárceles están llenas de gente,
en las montañas el dolor arrasa poblados enteros
y hay otros niños que no escucharán ya la voz de sus
      madres?
¿Cómo explicarte que, a veces,
es necesario partir
porque el cerco se cierra
y tenés que dejar tu patria, tu casa, tus hijos
hasta quién sabe cuándo
(pero siempre con la fe en la victoria)
¿Cómo explicarte que te estamos haciendo un país
      nuevo?
¿Cómo explicarte esta guerra contra el dolor,
la muerte, la injusticia?
¿Cómo explicarte tantas,
pero tantas cosas,
mi muchachita...?

YO FUI UNA VEZ UNA MUCHACHA RISUEÑA

Yo fui una vez una muchacha risueña
que andaba con su risa
por toda una ciudad que le pertenecía.
Yo fui una vez una mujer poeta
que salía con un poema nuevo,
como quien sale con un hijo,
a enseñarlo, a gozarlo.
Yo fui una vez la madre de dos niñas preciosas
y andaba segura de mi felicidad,
desafiando al viento y a las cosas.

Ahora,
yo soy una mujer que no conoce la tierra donde vive,
sin amor, sin risa, sin Nicaragua,
soy una poeta
que escribe a escondidas
en oficinas serias y casas de huéspedes,
soy una muchacha que llora
debajo de un paraguas
cuando la muerde el recuerdo,
soy una madre que añora la alegría de sus hijas:
Ahora,
soy un canto de lluvia y de nostalgia,
soy de ausencia.

LO QUE VI EN UNA VENTANA
EN HOUSTON, TEXAS, E.U.

Desde aquí te veo,
te vislumbro,
oficinista del Fannin Bank
en Houston, Texas,
absorto en balances y cuentas.
Nunca sabrás quién soy
—probablemente no te quede mucho tiempo de leer
y menos cosas que yo escribo
y que no se publican en periódicos de tu ciudad—
Yo a ti tampoco te conozco,
pero solidaria escribo estas líneas
a tu imperturbable figura,
cansada sobre las anotaciones
de algún invisible balance
donde firmarás tu nombre
—probablemente por instinto—
ya que tal vez o muy posiblemente
no sabes mucho de ti mismo,
como yo tampoco sé mucho de mí misma
en esta ciudad que absorbería
sin el menor esfuerzo,
nuestro más agudo
grito
de protesta.

VENCER LAS TRAMPAS

Volvés a sentir el calorcito en la yema de los dedos,
la cosquilla de escribir en el estómago y sos de nuevo
poeta, mujer, pájara. Estás otra vez fértil y tierrosa
llenas de fuego líquido las venas que creías apagadas
como ríos mansos.
Te alegrás en el júbilo de tu despertar con trinos y
        malinches.
En el fondo es como sentir que volviste a nacer, a
        pesar de
todas las trampas de la mediocridad y del exilio.

AMO A LOS HOMBRES Y LES CANTO

Amo a los hombres
y les canto.

Amo a los jóvenes
desafiantes jinetes del aire,
pobladores de pasillos en las Universidades,
rebeldes, inconformes, planeadores de mundos
        diferentes.
Amo a los obreros,
esos sudorosos gigantes morenos
que salen de madrugada a construir ciudades.
Amo a los carpinteros
que conocen a la madera como a su mujer
y saben hacerla a su modo.
Amo a los campesinos
que no tienen más tractor que su brazo
que rompen el vientre de la tierra y la poseen.
Amo, compasiva y tristemente, a los complicados
        hombres de negocios
que han convertido su hombría en una sanguinaria
        máquina de sumar
y han dejado los pensamientos más profundos, los
        sentimientos más nobles
por cálculos y métodos de explotación.

Amo a los poetas —bellos ángeles lanzallamas—
que inventan nuevos mundos desde la palabra
que dan a la risa y al vino su justa y proverbial
        importancia,

que conocen la trascendencia de una conversación
    tranquila bajo los árboles,
a esos poetas vitales que sufren las lágrimas y van
    y dejan todo y mueren
para que nazcan hombres con la frente alta.
Amo a los pintores —hombres colores—
que guardan la hermosura para nuestros ojos
y a los que pintan el horror y el hambre
para que no se nos olvide.
Amo a los solitarios pensadores
los que existen más allá del amor y de la comprensión
    sencilla
los que se hunden en titánicas averiguaciones
y se atormentan día y noche ante lo absurdo de las
    respuestas.

A todos amo con un amor de mujer, de madre, de
    hermana,
con un amor que es más grande que yo toda,
que me supera y me envuelve como un océano
donde todo el misterio se resuelve en espuma.

Amo a las mujeres desde su piel que es la mía.
A la que se rebela y forcejea con la pluma y la voz
    desenvainadas,
a la que se levanta de noche a ver a su hijo que llora,
a la que llora por un niño que se ha dormido para
siempre,
a la que lucha enardecida en las montañas,
a la que trabaja —mal pagada— en la ciudad,
a la que gorda y contenta canta cuando echa tortillas
en la pancita caliente del comal,
a la que camina con el peso de un ser en su vientre
    enorme y fecundo.

A todas amo y me felicito por ser de su especie.
Me felicito por estar con hombres y mujeres
aquí bajo este cielo, sobre esta tierra tropical y fértil,
ondulante y cubierta de hierba.
Me felicito por ser y por haber nacido,
por mis pulmones que me llevan y me traen el aire,
porque cuando respiro siento que el mundo todo entra
        en mí
y sale con algo mío,
por estos poemas que escribo y lanzo al viento
para alegría de los pájaros,
por todo lo que soy y rompe el aire a mi paso,
por las flores que se mecen en los caminos
y los pensamientos que, desenfrenados, alborotan en
        las cabezas,
por los llantos y las rebeliones.
Me felicito porque soy parte de una nueva época
porque he comprendido la importancia que tiene mi
        existencia,
la importancia que tiene tu existencia, la de todos,
la vitalidad de mi mano unida a otras manos,
de mi canto unido a otros cantos.
Porque he comprendido mi misión de ser creador,
de alfarera de mi tiempo que es el tiempo nuestro,
quiero irme a las calles y a los campos,
a las mansiones y a las chozas
a sacudir a los tibios y haraganes,
a los que reniegan de la vida y de los malos negocios,
a los que dejan de ver el sol para cuadrar balances,
a los incrédulos, a los desamparados, a los que han
        perdido la esperanza,
a los que ríen y cantan y hablan con optimismo;
quiero traerlos a todos hacia la madrugada,
traerlos a ver la vida que pasa
con una hermosura dolorosa y desafiante,

la vida que nos espera detrás de cada atardecer
—último testimonio de un día que se va para siempre,
que sale del tiempo y que nunca volverá a repetirse—.
Quiero atraer a todos hacia el abrazo de una alegría
      que comienza,
de un Universo que espera que rompamos sus puertas
con la energía de nuestra marcha incontenible.
Quiero llevarlos a recorrer los caminos
por donde avanza —inexorable— la Historia.
Porque los amo quiero llevarlos de frente a la nueva
      mañana,
mañana lavada de pesar que habremos construido
      todos.

Vámonos y que nadie se quede a la zaga,
que nadie perezoso, amedrentado, tibio, habite la faz
      de la tierra
para que este amor tenga la fuerza de los terremotos,
      de los maremotos,
de los ciclones, de los huracanes
y todo lo que nos aprisione vuele convertido en
      desecho
mientras hombres y mujeres nuevos
van naciendo erguidos
luminosos
como volcanes...

Vámonos
Vámonos
Vámonoooos!!!!

LA ORQUÍDEA DE ACERO

Amarte en esta guerra que nos va desgastando
y enriqueciendo.
Amarte sin pensar en el minuto que se escurre
y que acerca el adiós al tiempo de los besos.
Amarte en esta guerra que peleamos, amor,
con piernas y con brazos.
Amarte con el miedo colgado a la garganta.
Amarte sin saber el día del adiós o del encuentro.
Amarte porque hoy salió el sol entre nuestros cuerpos
      apretados
y tuvimos una sonrisa soñolienta en la mañana.
Amarte porque pude oír tu voz
y ahora espero verte aparecer saliendo de la noche.
Amarte en toda esta incertidumbre,
sintiendo que este amor es un regalo,
una tregua entre tanto dolor y tanta bala,
un momento inserto en la batalla,
para recordar cómo necesita la piel de la caricia
en este quererte, amor,
encerrada en un triángulo de tierra.

YO, LA QUE TE QUIERE

Yo soy tu indómita gacela,
el trueno que rompe la luz sobre tu pecho.
Yo soy el viento desatado en la montaña
y el fulgor concentrado del fuego del ocote.
Yo caliento tus noches
encendiendo volcanes en mis manos,
mojándote los ojos con el humo de mis cráteres.
Yo he llegado hasta vos vestida de lluvia y de recuerdo,
riendo la risa inmutable de los años.
Yo soy el inexplorado camino,
la claridad que rompe la tiniebla.
Yo pongo estrellas entre tu piel y la mía
y te recorro entero,
sendero tras sendero,
descalzando mi amor,
desnudando mi miedo.
Yo soy un nombre que canta y te enamora
desde el otro lado de la luna,
soy la prolongación de tu sonrisa y tu cuerpo.
Yo soy algo que crece,
algo que ríe y llora.
Yo,
la que te quiere.

COMO TINAJA

En los días buenos,
de lluvia,
los días en que nos quisimos
totalmente,
en que nos fuimos abriendo
el uno al otro
como cuevas secretas;
en esos días, amor,
mi cuerpo como tinaja
recogió toda el agua tierna
que derramaste sobre mí
y ahora,
en estos días secos
en que tu ausencia duele
y agrieta la piel,
el agua sale de mis ojos
llena de tu recuerdo
a refrescar la aridez de mi cuerpo
tan vacío y tan llevo de vos.

AHUYENTEMOS EL TIEMPO, ↲

Ahuyentemos el tiempo, amor,
que ya no exista;
esos minutos largos que desfilan pesados
cuando no estás conmigo
y estás en todas partes
sin estar pero estando.
Me dolés en el cuerpo,
me acaricias el pelo
y no estás
y estás cerca
te siento levantarte
desde el aire llenarme
pero estoy sola, amor,
y este estarte viendo
sin que estés
me hace sentirme a veces
como una leona herida
me retuerzo
doy vueltas
te busco
y no estás
y estás
allí
tan cerca.

RECORRIÉNDOTE

Quiero morder tu carne,
salada y fuerte,
empezar por tus brazos hermosos
como ramas de ceibo,
seguir por ese pecho con el que sueñan
                    mis sueños
ese pecho-cueva donde se esconde mi cabeza
hurgando la ternura,
ese pecho que suena a tambores y vida continuada.
Quedarme allí un rato largo
enredando mis manos
en ese bosquecito de arbustos que te crece
suave y negro bajo mi piel desnuda
seguir después hacia tu ombligo
hacia ese centro donde te empiza el cosquilleo,
irte besando, mordiendo,
hasta llegar allí
a ese lugarcito
—apretado y secreto—
que se alegra ante mi presencia
que se adelanta a recibirme
y viene a mí
en toda su dureza de macho enardecido.
Bajar luego a tus piernas
firmes como tus convicciones guerrilleras,
esas piernas donde tu estatura se asienta
con las que vienes a mí
con las que me sostienes,
las que enredas en la noche entre las mías

blandas y femeninas.
Besar tus pies, amor,
que tanto tienen aún que recorrer sin mí
y volver a escalarte
hasta apretar tu boca con la mía,
hasta llenarme toda de tu saliva
                              y tu aliento
hasta que entrés en mí
con la fuerza de la marea
y me invadás con tu ir y venir
de mar furioso
y quedemos los dos tendidos y sudados
en la arena de las sábanas.

INVENTAREMOS NUESTRO PROPIO IDIOMA

Inventaremos nuestro propio idioma,
mi amor,
y se nos crecerán los ojos.
Veremos cosas que nadie nunca ha visto:
caminos entre las nubes,
canciones en los trigales.
Le veremos los fustanes al viento,
las bocas con que besa el agua,
andaremos sueltos,
descalzos,
desnudos,
como invisibles duendes.
Llenaremos de palabras y risa
las paredes del mundo
mientras vamos vertiendo el amor de nuestros cuerpos
gorgojeando,
aguahablando,
cho
    rre
       án
          do
             nos
                como las fuentes.

TEXTURA DE SUEÑO

No he visto el día
más que a través de tu ausencia
de tu ausencia redonda que envuelve mi paso agitado,
mi respiración de mujer sola.

Hay días pienso
que están hechos para morirse
                              o para llorar,
días poblados de fantasmas y ecos
en los que ando sobresaltada,
pareciéndome que el pasado va a abrir la puerta
y que hoy será ayer,
tus manos, tus ojos, tu estar conmigo,
lo que hace tan poco era tan real
y ahora tiene la misma
textura del sueño.

MI AMOR, SÓLO VOS PODÉS CONTENER LOS RÍOS DESBOCADOS

*¿Qué he de darte sino el insidioso canto de la
inquietud rodando por las venas
como una andanada de ríos desbocados?*

Mi amor, sólo vos podés contener los ríos desbocados
      de mi corazón
en estos días en que tu ausencia es larga y ancha como
      la geografía del mundo,
y ando buscándote en los ojos de las gentes,
buscándote en el canto de los grillos,
en las luciérnagas,
buscando fuera de mí
la imagen
que tengo encerrada en el cuerpo.

SÓLO EL AMOR RESISTIRÁ

...sabes que sólo el amor es capaz de resistir
mientras todo se derrumba...

Sergio Ramírez

Sólo el amor resistirá
mientras caen como torres dinamitadas
los días, los meses, los años.

Sólo el amor resistirá
alimentando silencioso la lámpara encendida,
el canto anudado a la garganta
la poesía anudado a la garganta,
la poesía en la caricia del cuerpo abandonado.

Algún día,
cualquier día,
doblará otra vez el recodo del camino
lo veré alto y distante,
acercándose,
oiré su voz llamándome,
sus ojos mirándome
y sabrá que el amor ha resistido
mientras todo se derrumbaba.

CÓMO SERÁ BUSCARTE EN LA DISTANCIA

...cómo será buscarte en la distancia
Eunice Odio

¿Cómo será buscarte en la distancia, amor,
amor que me has llevado a la puerta del árbol,
al vuelo de la mariposa,
a la fuerza,
a la vida,
y que me llevaste, despúes de la alegría,
                                        a la tristeza?

¿Cómo será buscarte en la distancia,
entre balas silbándome en los hombros,
entre el ruido de la guerra y de las lágrimas?

¿Cómo será, amor, este buscarte en el tiempo,
en los anchos pasillos de los días,
despeinada, descalza,
con este amor, amor, que se revuelve en mí
como un mar dentro de una pecera?

¿Cómo será buscarte en la distancia,
en el no estar,
en el estar sola,
en esta nada que goza con saña
mi incertidumbre de mujer abandonada?

TU RECUERDO SE ENREDA A MI ALREDEDOR

Cuando ya nada pido
y casi nada espero
y apenas puedo nada
es cuando más te quiero
José Coronel Urtecho

Tu recuerdo se enreda a mi alrededor como una manta cobiján-dome del frío, brilla con mi cuerpo en el silencio mojado de es-ta tarde en la que te escribo, en la que no puedo hacer nada más que pensarte y decir tu nombre en secreto, para dentro de mi boca, envolviéndolo en el recinto de mis dientes, mordién-dolo hasta gastarle las letras, hasta gastar tanto nombre tuyo que me ha ido acompañando, para volver a revivirlo, arrullán-dome yo misma con tu voz y tus ojos, meciéndome en este tiempo sin horas en que te quiero, en que amo cada minuto que ha quedado impreso en mi memoria para siempre.

EVOCACIÓN LLUVIOSA

Me pregunto cómo puedo reírme entre tanta tristeza, entre tanta flor mojada y asfalto brillante y lavadito de lluvia. Me pregunto cómo puedo sentir estar sensación de triunfo cuando la derrota de no tenerte es un hecho y tus manos están lejos de mis manos y las gotas que voy lavando, chupando de tu cara con mis besos no son más que imaginación, que este deseo de rescatar del territorio del recuerdo las cosas que sentía cuando vos eras de carne y hueso y no esa figura lejana acariciada por mis pensamientos.

Sin embargo, esta noche brillante, te siento lleno de mí en la lejanía, lleno de mi sudor, mi saliva, del olor de mi piel. Te siento cantando, caminando, llevándome entre las manos como un pajarito y siento tu amor sobre las nubes que me mojan, envolviéndome con su calorcito, su música y siento tu mirada luminosa, transparente, atravesando mis ojos con su color de hierba, de mar de cosas lindas y sos mi amor, mi sábana, mi cama, mi almohada, mi cuaderno, mi pluma, sos tan real como estas ganas de reírme que tengo por sentirte tan cerca, por tenerte, por no tenerte, por haberte tenido, por hoy, por mañana por todos los días.

ESTA SOLEDAD, ESTE VACÍO INDEFINIBLE

Esta soledad, este vacío indefinible que va creciendo en lugar de la alegría, es como estar perdido en una ciudad hostil y extraña haciendo y diciendo lo que no sentimos, ni deseamos, añorando la explosiva felicidad, la euforia irreprimible y animal que invadía los sentidos como grandes flores que reventaban en las entrañas, salían por los ojos, por la boca, embelleciendo el transcurrir de la vida en mil y una formas hermosas. Debo morir para volver a nacer, para convertirme de nuevo en un animal joven y contento y poder reír en grandes e inmensas carcajadas que quiebren todos los vidrios de la ciudad en mil pedazos, mientras me alejo en alguna nube, montada sobre la alegría que he buscado recapturar en tu sonrisa, en ese furtivo movimiento que te aleja de mí, que me parte el cuerpo en pedazos, haciéndome sentir que las lágrimas nunca han estado más profundamente dentro de mis ojos.

AL COMANDANTE MARCOS

El ruido de la metralla nos dejó con la puerta en las
    narices.
La puerta de tu vida cerrada de repente
en la madera que te duerme y acurruca en el vientre
    de la tierra.

No puedo creer tu muerte,
tan sin despedida,
—sólo ese lejano presentimiento de aquella noche,
    ¿te acordás?—
en que lloré rabiosamente viéndote dormido,
sabiéndote pájaro migratorio
en rápida fuga de la vida.

Después,
cuando partiste,
cuando agarraste el peligro por las crines
y te sabías rodeado de furiosos perros,
empecé a creer que eras indestructible.
¿Cómo poder creer en el final de tus manos,
de tus ojos, de tu palabra?
¿Cómo creer en tu final cuando vos eras todo
    principio;
la chispa, el primer disparo, la orden de fuego,
los planes, la calma?

Pero allí estaba la noticia en el periódico
y tu foto mirándome sin verme
y esa definitiva sensación de tu ausencia

corriéndome por dentro sin consuelo,
dejando muy atrás la frontera de las lágrimas,
echándose en mis venas,
reventando contra todas mis esquinas.

Va pasando el tiempo
y va siendo más grande el hueco de tu nombre,
los minutos cargados de tu piel,
del canto rítmico de tu corazón,
de todo lo que ahora nada en mi cerebro
y te lleva y te trae como el flujo y reflujo
de una marea de sangre,
donde veo rojo de dolor y de rabia
y escribo sin poder escribir este llanto infinito,
redondo y circular como tu símbolo,
donde no puedo vislumbrar tu final
y siento solamente con la fuerza del abrazo,
de la lluvia,
de los caballos en fuga,
tu principio.

ES TU NOMBRE QUE RETUMBA

He arrancado los árboles
que habitaban en tu casa de espuma
y he regado mis días
con el antiguo y nuevo
verdor de tus ojos.

Me he llenado la piel de polen,
caminando en las alas de las mariposas,
yendo a robarle la miel a las abejas,
porque tu amor ha florecido en mí
como una orquídea en un tronco fibroso y desolado,
naciendo de la muerte para parirse
en mil llantos furiosos
y continuarte amando
en todo lo que se te parece;
en la luna redonda de los noches,
en la callada y tersa piel del mar,
en todo lo que tiene la potencia salvaje
de tus besos.

He convertido en luciérnagas mis manos
y enciendo luces en la noche,
viéndote en cada parpadeo,
en la respiración inmensa de las nubes,
en el ruido silencioso del secreto a gritos repetido.

El amor corre por mi pelo y se agita en el aire,
se desperdiga hacia todos los horizontes
donde alguna vez anduvimos

gozando piel con piel,
calor contra calor.

Me siento caliente de lágrimas, de abrazos,
de sangre, de protestas.

Me siento contenta con tu recuerdo,
retumbante como el vientre de los volcanes.

BAJO EL ARCOIRIS

La has emprendido con tu plumero de estrellas y caricias contra los fantasmas que habitaban mis pulmones, mi cerebro, mi vientre, vas barriendo con un viento suave las sonrisas pegadas a mi sangre y las veo irse resignadas al lugar de los recuerdos, donde deberían haber estado ya hace días si yo no me hubiera aferrado a sus pliegues como a un árbol durante una tormenta.

Sin embargo ahora estás vos y el mundo va recobrando poco a poco su redondez de naranja, su calorcito, la intimidad de su aire de calle conocida y puedo volver a reír, saltar, caerme, conociendo la cercanía de tus manos para tomarme por los hombros y acercarme allí donde late tu vida, mientras voy poniendo tierra y arena sobre caminos inciertos; haciendo el caminito de mi huella al lado de la tuya, sembrando flores, piedritas blancas, bajo el arcoiris que salió triunfante y lleno de colores después de la última lluvia.

EMBESTIDA A MI HOMBRO IZQUIERDO

Se van tus manos sobre mi mirada
la sostienes, la sueltas.
Embistes mi hombro izquierdo,
lo sitias desde el cuello,
lo asaltas con las flechas de tu boca.
Embistes mi hombro izquierdo
feroz y dulcemente a dentelladas.
Nos va envolviendo el amor
con su modo redondo
de hacer pasar el tiempo entre los besos
y somos dos volutas de humo
flotando en el espacio
llenándolo con chasquidos y murmullos
o suavemente quedándonos callados
para explorar el secreto profundo de los poros
para penetrarlos en un afán de invasión
de descorrer la piel
y encontrar nuestros ojos
mirándonos desde la interioridad de la sangre.
Hablamos un lenguaje de jeroglíficos
y me vas descifrando sin más instrumentos
que la ternura lenta de tus manos,
desenredándome sin esfuerzo,
alisándome como una sábana recién planchada,
mientras yo te voy dando mi universo;
todos los meteoritos y las lunas
que han venido gravitando en la órbita de mis sueños,
mis dedos llenos del deseo de tocar las estrellas
los soles que habitan en mi cuerpo.

Una mansa sonrisa empieza a subirme por los tobillos,
se va riendo en mis rodillas
sube recorriendo mi corteza de árbol
llenándome de capullos reventados de gozo
            transparente.
El aire que sale de mis pulmones va risueño
a vivir en el viento de la noche
mientras de nuevo embistes mi hombro izquierdo,
feroz
y dulcemente
a dentelladas.

ES HORA DE PENETRAR EL SUEÑO

Es hora de penetrar el sueño,
decirte adiós momentáneamente
y perderme para vos
así como vos ya estás perdido para mí
en el silencio de tus pestañas
apretadamente cerradas.

Estás hermoso así,
como un niño abandonado e inocente a todo.
Parece que no existieras más que para dormir,
sólo yo sé de la fuerza acurrucada
que ha puesto mi amor
en estado de sitio.

MANUSCRITO

Voy a escribir la historia de mi cuerpo entre tus manos. Me fue naciendo como una nueva muda de culebra. Floreció bajo el sol y se llenó de begonias, bromelias y cometas ante tus ojos y mis ojos asombrados. Mi cuerpo, cuando lo cercan tus brazos, se convierte en caballo, en yegua y sale a galopar por el placer de un beso. Se llena de hiedra para escalar las paredes de tu corazón y cubrirlo de susurros nacidos desde la misma entraña de la tierra. Mi cuerpo con todos sus resquicios impredecibles, rasga la noche con su cantar de guitarra del monte y enciende la oscuridad con su brillo de luciérnaga. Se pierde en vos con el abandono de un niño y abre sus ventanas de par en par para recibir la honda caricia, el pensamiento convertido en libélula alada, incitando a la selva a despertarse con su crujido de ramas. Mi cuerpo se vuelve planeta inexplorado donde posa el tuyo su navío del espacio; tiembla con la energía de un nuevo continente que se formó después de cataclismos sin nombre y sin historia.

Mi cuerpo desde siempre parece haberte querido, haberte estado esperando.

Se ha revelado desnudándose como una cueva que necesitara de tu palabra para abrir su secreto ante la magia de tu sonrisa, de tu cercanía, ante vos que te sabías la combinación oculta desde antes de tener memoria.

DEL QUÉ HACER CON ESTOS POEMAS

Pienso que juntaré mis poemas,
agarrados como una fila de huracanes
y haré un libro desafiante y bello para vos.
Un libro donde estaremos felices
o ariscos como gatos discutiendo,
un libro que flote en el tiempo de tu tiempo
y que podás enseñar a tus nietos
y decirles:

«Miren cómo me amó esta mujer»,
con orgullo de macho idolatrado.

COMO GATA BOCA ARRIBA

Te quiero como gata boca arriba,
panza arriba te quiero,
maullando a través de tu mirada,
de este amor-jaula
violento,
lleno de zarpazos
como una noche de luna
y dos gatos enamorados
discutiendo su amor en los tejados,
amándose a gritos y llantos,
a maldiciones, lágrimas y sonrisas
(de esas que hacen temblar el cuerpo de alegría).

Te quiero como gata panza arriba
y me defiendo de huir,
de dejar esta pelea
de callejones y noches sin hablarnos,
este amor que me marea,
que me llena de polen,
de fertilidad
y me anda en el día por la espalda
haciéndome cosquillas.

No me voy, no quiero irme, dejarte,
te busco agazapada
ronroneando,
te busco saliendo detrás del sofá,
brincando sobre tu cama,
pasándote la cola por los ojos,

te busco desperezándome en la alfombra,
poniéndome los anteojos para leer
libros de educación del hogar
y no andar chiflada y saber manejar la casa,
poner la comida,
asear los cuartos,
amarte sin polvo y sin desorden,
amarte organizadamente,
poniéndole orden a este alboroto
de revolución y trabajo y amor
a tiempo y destiempo,
de noche, de madrugada,
en el baño,
riéndonos como gatos mansos,
lamiéndonos la cara como gatos viejos y cansados
a los pies del sofá de leer el periódico.

Te quiero como gata agradecida,
gorda de estar mimada,
te quiero como gata flaca
perseguida y llorona,
te quiero como gata, mi amor,
como gata, Gioconda,
como mujer
te quiero.

TERNURA DE LOS PUEBLOS

Yo te decía que la solidaridad
es la ternura de los pueblos.
Te lo decía después del triunfo,
después que pasamos los tiempos duros de batallas
y llantos;
ahora mientras recuerdo cosas que pasaron allá afuera,
cuando todo era soñar y soñar, despiertos y dormidos,
sin cansarnos nunca de ponerle argamasa al sueño
hasta que dejó de serlo, hasta que vimos las
        banderas rojinegras
—de verdad— ondeando sobre las casas, las casitas,
        las chozas,
los árboles del camino y pensamos en todo lo
        que nos tocó vivir
y era como un gran rompecabezas de rabias y fuego
y sangre y esperanza...

ÁSPERA TEXTURA DEL VIENTO

Nacida de la selva me tomaste
arisca yegua para estribos y albardas.

Durante muchas noches
nada se oyó
sino el chasquido del látigo
el rumor del forcejeo
las maldiciones
y el roce de los cuerpos
midiéndose la fuerza en el espacio.

Cabalgamos por días sin parar
desbocados corceles del amor
dando y quitando,
riendo y llorando
           —el tiempo de la doma
           el celo de los tigres—

No pudimos con la áspera textura de los vientos.
Nos rendimos ante el cansancio
a pocos metros de la pradera
donde hubiéramos realizado
todos nuestros encendidos sueños.

PARA TOMAR DE NUEVO EL RUMBO

Hemos cruzado ríos anchos como el Iyas,
montañas elevadas como el Kilambé.
Ya conocemos la lectura de las huellas,
el paso del puma y el danto.
Aprendimos a encontrarnos en los sueños
y a conocer el sentido preciso de los silencios.

A ratos caminé sola mientras vos adelantabas la marcha.
Lloré viéndote lejano.
Vos me diste la mano y seguimos caminando.

Hubo acecho, rendición, huida, besos, emboscada;
acampamos, anduvimos, maldecimos...

¿Cómo, amor, pensar ahora
en poner espadas de fuego
a la entrada del paraíso?

EH, HOMBRE,
AMADO MÍO

Eh, hombre
amado mío,
desecha ya los viejos mapas,
ven a recorrerme sobre ariscos caballos,
hincha las velas y descubre este nuevo continente
nacido entre cataclismos y catástrofes.
Escala estas montañas azules
para ver tu nombre inscrito en le horizonte;
húndete en los lagos y conoce los nacarados monumentos
a cada uno de tus besos.
Descifra los mensajes pintados en las grandes paredes
y ve aparecer tu risa en los árboles frutales
de esta tierra
donde como zumo vital
quiero guardarte siempre.

CONJUROS DE LA MEMORIA

No sé si un sol desmedido y burlón
me atravesará de punta a punta
cuando salten de mi pecho todos los gritos guardados,
cuando se rompan las oscuridades
de mi perfecta catedral secreta
con el sostenido sonido del órgano medieval
ululando su voz de parto,
su alarido de queja y de tristeza.

Estoy como nací —desnuda—
mojada de lágrimas con el pelo chorreándome nostalgia
y un cansancio vetusto acomodado en mis huesos
y mientras me dejo ir en el humo,
viene su mano y me sostiene
y me levanta y me hace tronar de júbilo,
me zarandea las ganas de vivir,
me dice verde con ojos de monte
azul con el pelo espumoso de mar
estrella con las uñas brillantes
viento y sopla mi angustia y la desperdiga
y me hace nadar en el aire, retozar en los arroyos,
romper los relojes del tiempo,
borrar la huella de mis pequeños pecados
vueltos trascendentes por los oscuros designios
de su otro yo iracundo hermano de este duende iluminado
que me persigue en el sueño
en el que corro huyendo, siguiéndole yo a mi vez
juego de gato y ratón hasta que viene la lluvia
y la risa y volvemos a ser amantes helechos hojas atrapadas

en las correntadas de mayo y todo vuelve a empezar
cuando cruzamos lavados y nuevos
el umbral del paraíso.

PATRIA LIBRE: 19 DE JULIO DE 1979

Extraño sentir este sol otra vez
y ver júbilo de las calles alborotadas de gente,
las banderas rojinegras por todas partes
y una nueva cara de la ciudad que despierta
con el humo de las llantas quemadas
y las altas hileras de barricadas.

El viento me va dando en plena cara
donde circulan libres polvo y lágrimas,
respiro hondo para convencerme de que no es un sueño,
que allá está el Motastepe, el Momotombo, el lago,
que lo hicimos al fin,
que lo logramos.
Tantos años creyendo esto contra viento y marea,
creyendo que este día era posible,
aún después de saber la muerte de Ricardo, de Pedro,
     de Carlos...
de tantos otros que nos arrancaron,
ojos que nos sacaron,
sin poder dejarnos nunca ciegos a este día
que nos revienta hoy entre las manos.

Cuántas muertes se me agolpan en la garganta,
queridos muertos con los que alguna vez soñamos este sueño
y recuerdo sus caras, sus ojos,
la seguridad con que conocieron esta victoria,
la generosidad con que la construyeron,
ciertos de que esta hora feliz aguardaba en el futuro
y que por ella bien valía la pena morir.

Me duele como parto esta alegría.
me duele no poder despertarlos para que vengan a ver
este pueblo gigante saliendo de la noche,
con la cara tan fresca y la sonrisa tan encima de los labios,
como que la hubieran estado acumulando
y la soltaran en tropeles, de repente.

Hay miles de sonrisas saliendo de los cajones,
de las casas quemadas, de los adoquines,
sonrisas vestidas de colores como pedazos de sandía,
de melón o níspero.

Yo siento que tengo que gozarme y regocijarme
como lo hubieran hecho mis hermanos dormidos,
gozarme con este triunfo tan de ellos,
tan hijo de su carne y de su sangre
y en medio del bullicio de este día tan azul,
montada en el camión,
pasando entre las calles, en medio de las caras hermosas
de mi gente,
quisiera que me nacieran brazos para abrazarlos a todos
y decirles a todos que los quiero,
que la sangre nos ha hermanado con su vínculo doloroso,
que estamos juntos para aprender a hablar de nuevo,
a caminar de nuevo;
que en este futuro —herencia de muerte y de gemidos—
sonarán estrepitosas descargas de martillo,
rafagazos de torno,
zumbidos de machete;
que estas serán las armas
para sacarle luz a las cenizas,
cemento, casas, pan, a las cenizas;
que no desmayaremos, nunca nos rendiremos,
que sabremos como ellos
pensar en los días hermosos que verán otros ojos

y en esta borrachera de libertad
que invade las calles, mece los árboles,
sopla el humo de los incendios

que nos acompañen
                    tranquilos
                            felices
                                siempre-vivos
                                    nuestros muertos.

AYUDAME A CREER QUE NO SEREMOS
LOS ÚLTIMOS POBLADORES DE LA TIERRA

Mi deseo de vos, amado,
es como el viento en las colinas de Waslala,
corriendo sin parar
y siempre regresando.

Jadeo de tristeza
y lloro de amor encerrada
como tigre enjaulado
en las noches,
oyendo tu palabra,
tu cabeza en la almohada cercana.

Que seré para vos, amado,
en este trapiche
donde no quedará nada en pie de nuestra estatura,
en estos días en que todo es más vivo
porque cercana está la muerte
y yo te abrazo mientras apretadamente
nos cercan las manadas de lobos
e incierto es el brillo titilante de las estrellas,
aunque verdadero es el amor, los valores trascendentales
de la Historia, la belleza
y esta fe en que todo podrá perecer
en la locura atómica de estos tiempos,
pero que ese aliento de vida que tuvimos
resurgirá en la constante movilidad de la materia,
aunque ya no estarán nuestros cuerpos
y estos cantos serán alimentos del humo en la hecatombe.

Por eso, amado,
hoy más que nunca,
oigo tictaquear el reloj,
el momento que se escurre entre los dedos
y estoy triste
ante la certeza del huracán.

Por eso me siento a blandir estos poemas,
a contruir contra viento y marea
un pequeño espacio de felicidad,
a tener fe en que no podrá terminar todo esto
—el rostro de Saslaya
—el rojo de las flores

que no seremos los últimos pobladores de la tierra,
que se hundirá,
sin nosotros a cuestas,
el imperio.

PELIGROS DEL INVIERNO

Este invierno se está llevando todo lo que fuimos.

Cada día despierto
arrebujándome contra tu espalda,
tocándote
para saber que no te has ido con el agua
sonrío y me pregunto si mañana si pronto
si algún día de estos
el llanto sucederá a la lluvia
y el invierno también se meterá en la casa
y no habrá mueble estante cortinera
donde no lave el agua los colores
y nos mojemos todos entre chocorrones y despedidas.

Por eso en las mañanas
bebo toda la luz en mis pulmones
abro todas las puertas,
pinto amarillas las risas de la casa
doy vuelta tenaz a los girasoles
me prendo el sol en medio de los pechos
y salgo a tocarte a escribirte
a decir que no, que no hay cauce que se lleve mi amor
ni aguacero ni ciclón ni viento lacerante
que arranque tu nombre de esta piel
miel de tus días largos.

SOÑANDO CON LA LÁMPARA DE ALADINO

Siento que me voy a morir
de pensarte y quererte,
genio maravilloso.

¿dónde estará mi lámpara de aceite,
dónde el poder para frotarla y hacerte surgir
en medio de mí
armado de truenos y arcoiris?

¿dónde la mágica evocación,
el ciclón que borre mis palabras malditas,
el tiempo interpuesto entre nuestras sombras?

Froto mi corazón
para traerte entero hacia mí,
así tal como sos,
como te amo,
con todas tus queridas palabras
tus rabias, tus silencios inquietantes,
la dulzura que descubrí
como inagotable panal de miel
para empalagarme y llorar de alegría
contra tu sombra dormida
en la almohada de la noche.

Amor redondo y definitivo como la curva del mundo,
no abandonés mi playa de veleros y naufragios,
ni las caracolas sonoras gritando esta pasión,
esta ternura como lengua larga sobre la arena,

brincá el erizo que quiso estorbar
la construcción de nuestra casa de algas marinas;
vos, amor, que has conocido de pantanos
y selvas y muertes,
no devolvás tus pasos
a la hosca soledad inalcanzable a mis gritos.

Yo instalaré mullidas alfombras
para que caminés sin tropiezos
y esperaré por años y siglos enteros
en cualquier casa sobre los árboles, a
que descifrés los mapas,
borrés la huella
y cantés otra vez, la tormenta
con la que me arrullabas en las noches.

EN EL OJO DEL HURACÁN

Estoy en medio de un huracán,
sola y blanca en el hospital.
Vos te me aparecés
entre las ráfagas del viento
y te movés sobre mí
sin que pueda cerrarte las ventanas.

Me abrís memorias,
—trozos de tu sonrisa se me vienen encima—
estás untado en mi piel
como una segunda piel desaforada.

Pienso que habrás recibido mis cartas,
mis garrapatas negras
balbuceando caricias,
el diario de Adán y Eva de Mark Twain
con un asombroso parecido a nuestra historia.
Me pregunto cómo estará tu sangre,
tu corazón,
mientras yo no puedo dejar de estar con vos,
aquí en medio de este huracán.

LA SANGRE DE OTROS

Leo los poemas de los muertos
yo que estoy viva
yo que viví para reírme y llorar
y gritar Patria Libre o Morir
sobre un camión
el día que llegamos a Managua.

Leo los poemas de los muertos,
veo las hormigas sobre la grama,
mis pies descalzos,
tu pelo lacio,
espalda encorvada sobre la reunión.

Leo los poemas de los muertos
y siento que esta sangre con que nos amamos,
no nos pertenece.

IR DEJANDO EN JIRONES LA PIEL EN EL AMOR

Qué difícil escalar las interrogantes,
ir dejando en jirones la piel en el amor,
sentirte cada día más sola y arrinconada
mientras el mundo se va volviendo como un embudo,
con un solo camino recto y sin torceduras
y vas caminando a empellones,
sentándote a llorar en las piedras,
alimentándote de hierbas
o amaneciendo a veces bajo un sol esplendoroso
con nubes regordetas que te hacen sonreír sin amargura,
como un niño.

Quiero la mano que me empuje hacia adelante
porque esta confusión me vuela de un lado a otro,
me ennegrece y está poniendo arrugas en mi frente.
Ya no soy más la que reía ante la tristeza,
la que la ahuyentaba con el palmotear de la mano.
Ahora la tristeza ha hecho nido,
se ha venido a posar entre mis ramas
y estoy como un sauce llorón,
tendida y doblada,
acariciando apenas
la tierra
con mis lágrimas.

ESTO ES AMOR

«Esto es amor, quien lo probó, lo sabe»
Lope de Vega

La mente se resiste a olvidar las cosas hermosas,
se aferra a ellas y olvida todo lo doloroso,
mágicamente anonadada por la belleza.

No recuerdo discursos contra mis débiles brazos,
guardando la exacta dimensión de tu cintura;
recuerdo la suave, exacta, lúcida transparencia de tus manos,
tus palabras en un papel que encuentro por allí,
la sensación de dulzura en las mañanas.

Lo prosaico se vuelve bello
cuando el amor lo toca con sus alas de Fénix,
ceniza de mi cigarro que es el humo
después de hacer el amor,
o el humo compartido,
quitado suavemente de la boca sin decir nada,
íntimamente conociendo que lo del uno es del otro
cuando dos se pertenecen.

No te entiendo y quisiera odiarte
y quisiera no sentir como ahora
el calor de las lágrimas en mis ojos
por tanto rato ganado al vacío,
al hastío de los días intrascendentes,
vueltos inmortales en el eco de tu risa
y te amo monstruo apocalíptico de la biblia de mis días

y te lloro con ganas de odiar
todo lo que alguna vez me hizo sentir
flor rara en un paraíso recobrado
donde toda felicidad era posible
y me dolés en el cuerpo sensible y seco de caricias,
abandonado ya meses al sonido de besos
y palabras susurradas o risas a la hora del baño.

Te añoro con furia de cacto en el desierto
y sé que no vendrás
que nunca vendrás
y que si venís seré débil como no debería
y me resisto a crecerme en roca,
en Tarpeya,
en espartana mujer arrojando su amor lisiado para que no viva
y te escondo y te cuido en la oscuridad
y entre las letras negras de mis escritos
volcados como río de lava entre débiles rayas azules de
    cuaderno
que me recuerdan que la línea es recta
pero que el mundo es curvo
como la pendiente de mis caderas.

Te amo y te lo grito estés donde estés,
sordo como estás
a la única palabra que puede sacarte del infierno
que estás labrando como ciego destructor
de tu íntima y reprimida ternura que yo conozco
y de cuyo conocimiento
ya nunca podrás escapar.

Y sé que mi sed sólo se sacia con tu agua
y que nadie podrá darme de beber
ni amor, ni sexo, ni rama florida
sin que yo le odie por querer parecérsete

y no quiero saber nada de otras voces
aunque me duela querer ternura
y conversación larga y entendida entre dos
porque sólo vos tenés el cifrado secreto
de la clave de mis palabras
y sólo vos parecés tener
el sol, la luna, el universo de mis alegrías
y por eso quisiera odiarte como no lo logro,
como sé que no lo haré
porque me hechizaste con tu mochila de hierbas
y nostalgias y chispa encendida
y largos silencios
y me tenés presa de tus manos mercuriales
y yo me desato en Venus con tormentas de hojarasca
y ramas largas y mojadas como el agua de las cañadas
y el ozono de la tierra que siente venir la lluvia
y sabe que ya no hay nubes,
ni evaporización,
ni ríos,
que el mundo se secó
y que no volverá jamás a llover,
ni habrá ya nieve o frío o paraíso
donde pájaro alguno pueda romper
el silencio del llanto.

SOÑAR PARA DESPERTAR SOÑANDO

¿Quién es esa que corre en los cielos
con su flotante bufanda de estrellas,
con nuestra tierra y el sol rondando
como abejas su corazón en flor?
Sus pies van en los vientos donde el
espacio es hondo.
Sus ojos son velados, nebulosos,
vuela en la noche en busca de un amante
lejano.

James Oppenheim

Ya que no me queda más que soñar
y el tiempo de esperar parece una playa que nunca se termina,
levantaré las noches, los umbrales de la madrugada
y me lanzaré al sueño
como una flotante bailarina sin velos,
desnuda para que nada me estorbe,
para que el cielo me vea como soy
y puedan decidir las estrellas
qué planeta me asignarán de residencia,
en qué Revolución me sembrarán

—porque también debe haber en las Galaxias;
todo está en constante movimiento—

Me harán fertilizar con todo el llanto
evaporado desde mis ojos
y también con mi sudor, mis heces,
todo lo que segrego porque vivo y funciono

y lo que mi cuerpo hace o destruye,
tiene razón de ser y es hermoso.

Allí, en ese vacío del espacio
—quieto, perturbador, amenazante—
como este en el que ahora estoy,
habré de encontrarlo, de verlo, de tocarlo.
Desde el asteroide B-612, lo veré conformarse como una
    nebulosa;
piernas, manos, acento, labios,
ojos para verme como nadie me ha visto
—hasta el fondo, sin miedo, ni prejuicios—.
Sentiré que me cerca, me acuna,
que recoge mis poemas y los lee y le gustan,
que traspasamos juntos lluvias de meteoritos
y calla o es misterio
o transparente, me deja contemplarlo,
ver cómo corre su sangre,
trabaja su cerebro,
me ama con el fuego prendido de los astros,
me toma de la mano
en paseos inmensos por las Siete Cabritas,
los anillos de Saturno, por las lunas de Júpiter,
y nos vamos saciando de la sed de Universo.

Después,
lo sé,
empezaré a soñar otra vez con nuestra Luna,
con el planeta Tierra,
con un lugar muy definido
en el ombligo de un largo continente,
y empezaré a contarle del sol entre los árboles,
del calor, de las selvas,
el canto de los pájaros
y las hermosas voces de las gentes.

Le haré cantos con truenos,
le hablaré de las manos callosas,
de la guerra, del Triunfo,
de lo que nos costó, lo que sufrimos,
lo que ahora gozamos, trabajamos, hacemos.

Sentiré la punzante nostalgia de la tierra mojada,
pensaré en las cosas que he dejado de hacer
por andar arrebujada en sueños, conociendo planetas.
Y nos vendremos juntos
aprovechando la conjunción de los astros.

Me dirá que tenía razón
que es bello este lugar,
mis volcanes tendidos sobre el paisaje como una mujer de
                                        (pechos desordenados,
los lagos, las banderas, las sonrisas
y me dirá:
Trabaja, mujer, trabaja,
trabajemos,
que el sueño está aquí mismo,
en este mismo sitio.

¿Para qué otros mundos
otras constelaciones?

Aquí mismo quedémonos despiertos
en medio de esta
recién nacida, amenazada,
estrella.

NUEVA CONSTRUCCIÓN DEL PRESENTE

Me veo en el espejo,
desleída figura,
incierta mujer desaliñada.

Estoy en el filo de la construcción de mí misma,
ansiosa de cimientos, estructura, sólidas paredes
para proteger el bagaje de sueños que ando a cuestas,
requiero de certezas y veredas tranquilas,
pasos firmes hacia mi propia patria conocida.
Este barro necesita darse forma, ser ladrillo,
construir un centro de donde fluir hermoso y sombrío.
He acumulado tiempos como infantiles cubos de colores
y ya los días piden estructurar el ritmo,
la cadencia de mis audaces despertares,
el sonido, la huella de mis pasos.
Se fue ya el tiempo de meditar a solas,
hay coros donde incluir mi voz,
cantos brotados de gargantas gruesas,
brazos invitadores descifrando la tierra,
andanadas de cuerpos levantando la mota que se cae;
todos los días nacen nuevos retos exigiendo respuestas,
ruidos de edificios,
de trochas que abren brecha en tierras de pájaros.
Hay lugares que se crecen, de repente, en palmeras,
gigantes que despiertan,
vetustas mansiones cayendo en el olvido de las telarañas.

No puede haber en este presente
que tanta sangre hiciera

desleídas imágenes.
Hay que trazarse firme los contornos del rostro,
reforzar los brazos,
apretar los músculos,
lanzarse a conquistar esta tierra madura,
hacer parir el alba,
sacar de este fondo las promesas.

Contra incrédulos e instigadores,
contra malos augurios
demostrar que dejamos de ser,
arena movediza.

DESAFÍO A LA VEJEZ

Cuando yo llegue a vieja
—si es que llego—
y me mire al espejo
y me cuente las arrugas
como una delicada orografía
de distendida piel.
Cuando pueda contar las marcas
que han dejado las lágrimas
y las preocupaciones,
y ya mi cuerpo responda despacio
a mis deseos,
cuando vea mi vida envuelta
en venas azules,
en profundas ojeras,
y suelte blanca mi cabellera
para dormirme temprano
—como corresponde—
cuando vengan mis nietos
a sentarse sobre mis rodillas
enmohecidas por el peso de muchos inviernos,
sé que todavía mi corazón
estará —rebelde— tictaqueando
y las dudas y los anchos horizontes
también saludarán
mis mañanas.

EN LA DOLIENTE SOLEDAD DEL DOMINGO

Aquí estoy,
desnuda,
sobre las sábanas solitarias
de esta cama donde te deseo.

Veo mi cuerpo,
liso y rosado en el espejo,
mi cuerpo
que fue ávido territorio de tus besos,
este cuerpo lleno de recuerdos
de tu desbordada pasión
sobre el que peleaste sudorosas batallas
en largas noches de quejidos y risas
y ruidos de mis cuevas interiores.

Veo mis pechos
que acomodabas sonriendo
en la palma de tu mano,
que apretabas como pájaros pequeños
en tus jaulas de cinco barrotes,
mientras una flor se me encendía
y paraba su dura corola
contra tu carne dulce.

Veo mis piernas,
largas y lentas conocedoras de tus caricias,
que giraban rápidas y nerviosas sobre sus goznes
para abrirte al sendero de la perdición
hacia mi mismo centro

y la suave vegetación del monte
donde urdiste sordos combates
coronados de gozo,
anunciados por descargas de fusilería
y truenos primitivos.

Me veo y no me estoy viendo,
es un espejo de vos el que se extiende doliente
sobre esta soledad de domingo,
un espejo rosado,
un molde hueco buscando su otro hemisferio.

Llueve copiosamente
sobre mi cara
y sólo pienso en tu lejano amor
mientras cobijo
con todas mis fuerzas,
la esperanza.

TODO SEA POR EL AMOR

Tantas cosas he hecho por vos
que tengo que cuidar
que su recuento no te suene a reclamo;
porque todo ha sido hecho en virtud del amor
y los relámpagos y ciclones que solté
de la caja de Pandora
que un día me pusiste en las manos
si es verdad que han dolido,
que muchas veces me han arrancado piel de la raíz
y me han hecho buscarme el corazón
con miedo a no encontrar su pasito de soldado,
han sido mi propia, soberana decisión,
mi perdición, mi gozo,
por los que me he conocido más mujer
capaz de escaladas, acrobacias,
tenacidad de burra retentada,
por los que he recorrido sendas ignotas,
mareada por el olor tan cercano de la felicidad
y te he buscado detrás de gestos y puertas
y hasta de la manera de abandonar tu ropa
y cuando te he encontrado
me he abierto de par en par
como jaula repleta de ruiseñores
y he sabido también cómo se siente
tener un astro deslumbrante en las entrañas.

No quiero pues, equivocarme con reclamos;
me hago responsable del sol y de la sombra,
pero, ay amor, cómo me duele

que estando yo en tu espacio
como estrella errabunda
fieramente colgada por vos en tu Universo,
no me hayás descubierto el resplandor,
no me hayás habitado,
tomado posesión de mi luz
y sólo te hayás atrevido
a palparme
—como un ciego—
en la oscuridad.

EVA ADVIERTE SOBRE LAS MANZANAS

«Allí te quedo en el pecho,
por muchos años me goces.»
C.M.R.

Con poderes de Dios
—centauro omnipotente—
me sacaste de la costilla curva de mi mundo
lanzándome a buscar tu prometida tierra,
la primera estación del paraíso.

Todo dejé atrás.
No oí lamentos, ni recomendaciones
porque en todo el Universo de mi ceguera
sólo vos brillabas
recortado sol en la oscuridad.

Y así,
Eva de nuevo,
comí la manzana;
quise construir casa y que la habitáramos,
tener hijos para multiplicar nuestro estrenado territorio.
Pero, después,
sólo estuvieron en vos
las cacerías, los leones,
el elogio a la soledad,
y el hosco despertar.

Para mí solamente los regresos de prisa,
tu goce de mi cuerpo,

el descargue repentino de ternura
y luego,
una y otra vez, la huida
tijereteando mi sueño,
llenando de lágrimas la copa de miel
tenazmente ofrecida.

Me desgasté como piedra de río.
Tantas veces pasaste por encima de mis murmullos,
de mis gritos,
abandomándome en la selva de tus confusiones
sin lámpara, ni piedras para hacer fuego y calentarme,
o adivinar el rumbo de tu sombra.

Por eso un día,
vi por última vez
tu figura recostada en el rojo fondo de la habitación
donde conocí más furia que ternura
y te dije adiós
desde el caliente fondo de mis entrañas,
desde el río de lava de mi corazón.

No me llevé nada
porque nada de lo tuyo me pertenecía
—nunca me hiciste dueña de tus cosas—
y saliste de mí
como salen —de pronto—
desparramados, tristes,
los árboles convertidos en trozas,
muertos ya,
pulpa para el recuerdo,
material para entretejer versos.

Fuiste mi Dios
y como Adán, también

me preñaste de frutas y malinches,
de poemas y cogollos,
racimos de inexplicables desconciertos.

Para nunca jamás
esta Eva verá espejismos de paraíso
o morderá manzanas dulces y peligrosas,
orgullosas,
soberbias,
inadecuadas
para el amor.

PODA PARA CRECER

De este montículo de polvo,
de huesos triturados
esparcidos por el tiempo,
tengo que rehacer mi dimensión;
armarme con los totems de mis antepasados,
invocando los manes
que alguna vez me vieron ser colibrí
—alas rápidas picoteando
sin miedo a los cazadores—

apartar a manotazos
vientos y malas lenguas
empecinadas en empequeñecer
los atronadores latidos de mi corazón.

Desde esta desvencijada,
golpeada estructura,
he de renacer
fuerte como los ceibos,
hermosa como la tempestad

—que no se arredra ante las puertas cerradas—

para golpear de palabras el mundo
con mi cuerpo convertido en arcilla,
moldeado ya,
indeclinable ante las malas miradas,
pero tierno para las lagunas y las lunas
y la rima y el verso

y la sonrisa de mis hijos.

Es duro rechacerse desde el agua,
desde dos pequeñas pozas encharcadas
en medio de la cara
y la nariz roja
y la boca torcida por la tristeza.

Escarbar la esperanza en la desesperanza,
buscarle a lo amargo
el conocido, presentido, sabido,
sabor de la miel.

Es duro el contorno de la figura
recortada en el cerebro
—difusa, odiada, pero imborrable—

Cauta me advierto
ante otras manos ofreciendo ternura,
promesa, calor de sonrisa
mientras el brazo extendido del futuro
desde el espejo me anuncia
que estoy toda entera,
dura y frágil,
dispuesta para el nuevo,
indescifrable,
mañana.

EXORCISMO

Sé que estoy escribiendo
para exorcizarme
y sacarme de adentro
la andanada de angustias
persiguiéndome.

Aún no sé muy bien
quién es esta nueva mujer que soy
—como no se conoce la ciudad después del cataclismo,
perdidos los puntos de referencia de tal o cual edificio—

Conozco que estoy fallada
como una telaraña geológica
llena de ranuras por donde brotan
perennes pasados cuyos sismos no puedo medir
con ningún osciloscopio
premeditado.

Adivino a tientas, toco, presiento,
el fin de una dolorosa
pero todavía dulce
ceguera.

MAYO

No se marchitan los besos
como los malinches,
ni me crecen vainas en los brazos;
siempre florezco
con esta lluvia interna,
como los patios verdes de Mayo
y río porque amo el viento y las nubes
y el paso de los pájaros cantores,
aunque ande enredada en recuerdos,
cubierta de hiedra como las viejas paredes,
sigo creyendo en los susurros guardados,
la fuerza de los caballos salvajes
el alado mensaje de las gaviotas.

Creo en las raíces innumerables de mi canto.

PERMANENCIA

Duro decir:
Te amo,
mira cuánto tiempo, distancia y pretensión
he puesto ante el horror de esa palabra,
esa palabra como serpiente
que viene sin hacer ruido, ronda
y se niega una, dos, tres, cuatro, muchas
    veces,
ahuyentándola como un mal pensamiento,
una debilidad,
un desliz,
algo que no podemos permitirnos

    —ese temblor primario
    que nos acerca al principio del mundo,
    al lenguaje elemental del roce o el
    contacto,
    la oscuridad de la caverna,
    el hombre y la mujer
    lamiéndose el espanto del estruendo—

Reconocer
ante el espejo,
la huella
la ausencia de cuerpos entrelazados
    hablándose.

Sentir que hay
un amor feroz

enjaulado a punta de razones,
condenado a morir de inanición,
sin darse a nadie más
obseso de un rostro inevitable.

Pasar por días
de levantar la mano,
formar el gesto del reencuentro y
    arrepentirse.
No poder con el miedo,
la cobardía,
el temor al sonido de la voz.
Huir como ciervo asustado del propio
    corazón,
vociferando un nombre en el silencio
y hacer ruido,
llenarse de otras voces,
sólo para seguirnos desgarrando
y aumentar el espanto
de haber perdido el cielo para siempre.

PETICIÓN

Vestirme de amor
que estoy desnuda;
que estoy como ciudad
—deshabitada—
sorda de ruidos,
tiritando de trinos,
reseca hoja quebradiza de marzo.

Rodeame de gozo
que no nací para estar triste
y la tristeza me queda floja
como ropa que no me pertenece.

Quiero encenderme de nuevo
olvidarme del sabor salado de las lágrimas
—los huecos en los lirios,
la golondrina muerta en el balcón—.

Volver a refrescarme de brisa risa,
reventada ola
mar sobre las peñas de mi infancia,
astro en las manos,
linterna eterna del camino hacia el espejo
donde volver a mirarme
de cuerpo entero,
protegida,
tomada de la mano,
de la luz,
de grama verde y volcanes;

lleno mi pelo de gorriones,
dedos reventando en mariposas,
el aire enredado en mis dientes,
retornando a su orden
de universo habitado por centauros.

Vestime de amor
que estoy desnuda.

IN MEMORIAM

Como una inmensa catedral,
ahumada de tiempo y peregrinos,
abierta de vitrales,
cobijada de musgo y pequeñas violetas olorosas,
esta noche oficio para vos
un *in Memorian* cálido,
una lámpara ardiendo.

Por los más oscuros pasadizos de mis muros internos,
a través de intrincados laberintos,
de puertas canceladas,
de candados y rejas,
camino hacia el encuentro de tu sombra.
Tu efigie de largas vestiduras monacales
me espera en el atrio del recuerdo
junto a la fuente silenciada.

Arrastro las largas vestiduras del encierro.
No sé si notarás,
cuando callada te me acerque,
cómo mi corazón semeja un cirio
y cómo se me amontonan en los ojos
todas las mieles espesas de la sangre.

En el redondo espacio temporal
de esta noche en que invoco tu nombre,
alzo el manto que oculta quedamente el secreto,
te muestro el altar de los suspiros,
la caja cincelada donde guardo tus gestos,

el conjuro de rosas que perfuma mis huesos.
Mi cuerpo tu perenne habitación.
Tu morada de las suaves paredes.

Quizás ya no recuerdes
cómo ocupabas sus entrañas,
sus celdas enrejadas
pero ellas conocen los murmullos, los cánticos.
Basta una chispa y lo muerto revive,
lo que pensábase dormido, despierta.

Oficio así esta resurrección,
este rito de invierno,
abierta, florecida como las limonarias.
Te enrostro mi amor enclaustrado,
sepultado tras días y barrotes de acero,
este amor sumergido tras pétalos de agua,
conservado en archivos subterráneos
lapidado, proscrito, negado miles veces,
intacto zarzal sin consumirse,
delicado reducto que la sangre preserva.
Lo pongo de nuevo en su lugar,
en su jaula del jardín de maduras manzanas,
lo condeno otra vez a la ceguera, lo silencio.

Ya mañana
trataré de olvidar
que, de luto, esta noche
me habitaste de nuevo
y fui aquella mujer que te llamaba
sin que jamás tu voz le respondiera.

SIN PALABRAS

Yo inventé un árbol grande,
más grande que un hombre,
más grande que una casa,
más grande que una última esperanza.

Me quedé con él años y años
bajo su sombra
esperando que me hablara.
Le cantaba canciones,
lo abrazaba,
le rascaba su rugosa corteza
entretejida de helechos,
mi risa reventaba flores en sus ramas,
y a cada gesto mío le creían hojas,
le brotaban frutas...
Era mío como nunca nada ha sido mío,
pero no me hablaba.
Yo vivía pendiente de sus ruidos,
oyendo su suave aleteo de mariposa,
su crujido de animal de la selva
y soñaba su voz como un hermoso canto,
pero no me hablaba.

Noches enteras lloré a sus pies,
apretujada entre sus raíces,
sintiendo sus brazos sobre mí,
viéndolo erguido sobre mí,
sabiendo que me estaba pensando,
pero no me hablaba...

Aprendí a cantar como pájaro,
a encenderme como luciérnaga,
a relinchar como caballo.
A veces me enfurecía y hacía que se le cayeran
      todas las hojas,
lo dejaba desnudo y avergonzado
ante los guanacastes,
esperando que —tal vez— entendería por mal,
como algunos hombres,
pero nada.

Aprendí tantas cosas para poder hablarle,
me desnudé de tantas otras necesidades
que olvidé hasta cómo me llamaba,
olvidé de dónde venía,
olvidé a qué especie de animal pertenecía
y quedé muda y siempreverde
—esperanzada—
entre sus ramas.

DEL DIARIO DE ARIADNA

Me lanzaron al laberinto de Creta
porque me sabían enamorada del Minotauro
y estoy atrapada en una cueva,
en un resquicio donde él no puede verme.

Minos está tan cerca
que hasta puedo oír su respiración.
No me busca sabiéndome prisionera
del cuidadoso acertijo que urdió para apresarme.
Lo conozco y asimismo lo descomprendo,
lo amo y unísonamente lo odio;
su tormenta de sonidos me mantiene insomne
        las noches.
Veo la luz de la entrada
quisiera salir,
enseñarte Teseo el punto débil
pero temo, aguardo,
aquí en esta cueva de tiempo,
invisible, transparente,
sospechosamente calculando
cómo salvarlo de vos Teseo,
que me llamás: ¡Ariadna! ¡Ariadna!
para que te entregue el hilo brillante
conque lo sacarás para siempre
de este laberinto de mi vida.

VIGILIA

Uno tras otro se amontonan los días de la vida.
Pasan. Se suceden.
Soy yo la que construye esperanza sobre la hierba.
La que se ve desnuda aún rosa y piel cálida.
Allá están las colinas de mi retozar.
Los arroyos y los valles de las correrías bajo la lluvia.
Veo pasar los rostros que alguna vez alzados como
        lámparas
iluminaron el mío y me poblaron de símbolos y
        palabras nuevas.
Los poemas vuelan como bandadas de palomas
        sobre la cabeza.
Todo esto lo observo desde mi celda virgen donde
        nadie penetra.
Al final del encuentro con el mundo de los sueños
desperté con la anunciación del júbilo
pero no hubo quien abrazara mi cuerpo y soplara
caricias en mi oído.
Sin embargo soy feliz.
Veo los vientres hinchados de vida que vendrá.
        Los campos arados.

Es la hora de la meditación y tejo un sueño
porque aprendí que los sueños son posibles.
Escribo manuscritos viejos y reescribo una nueva
        historia del mundo.
Ésta es la tierra prometida de la cual nos habían
        arrojado.
Ejército de querubines, coros de ángeles

cuidan a los moradores del paraíso
para que soporten las privaciones
y no coman la manzana de la perdición.

Me han dejado la lámpara de las vírgenes prudentes
pero también las visiones de los bosques
donde habitan los unicornios.
El amado no llega.
A veces pareciera que diviso su sombra acercándose
y que su voz como las trompetas de Jericó parece
          pronta a alzarse
para derrumbar los muros que contienen el amor.

Me dicen que la perseverancia es virtud de los
          triunfadores.
La paciencia seguro escudo contra los espejismos
          que producen falsos sueños.
Entonces doy vuelta al reloj de arena
y dibujo en largos pergaminos la sustancia de mi
          felicidad.

Esa que sólo espero habrá de levantarse
de la niebla y el vapor
hacerse hombre y venir a habitarme
aparecida en medio de todos
puerto final de mis tempestades
por los siglos de los siglos
Amén.

REGLAS DEL JUEGO PARA LOS HOMBRES
QUE QUIERAN AMAR A
MUJERES MUJERES

I
El hombre que me ame
deberá saber descorrer las cortinas de la piel,
encontrar la profundidad de mis ojos
y conocer lo que anida en mí,
la golondrina transparente de la ternura.

II
El hombre que me ame
no querrá poseerme como una mercancía,
ni exhibirme como un trofeo de caza,
sabrá estar a mi lado
con el mismo amor
conque yo estaré al lado suyo.

III
El amor del hombre que me ame
será fuerte como los árboles de ceibo,
protector y seguro como ellos,
limpio como una mañana de diciembre.

IV
El hombre que me ame
no dudará de mi sonrisa
ni temerá la abundancia de mi pelo,
respetará la tristeza, el silencio
y con caricias tocará mi vientre como guitarra

para que brote música y alegría
desde el fondo de mi cuerpo.

V
El hombre que me ame
podrá encontrar en mí
la hamaca donde descansar
el pesado fardo de sus preocupaciones,
la amiga con quien compartir sus íntimos secretos,
el lago donde flotar
sin miedo de que el ancla del compromiso
le impida volar cuando se le ocurra ser pájaro.

VI
El hombre que me ame
hará poesía con su vida,
construyendo cada día
con la mirada puesta en el futuro.

VII
Por sobre todas las cosas,
el hombre que me ame
deberá amar al pueblo
no como una abstracta palabra
sacada de la manga,
sino como algo real, concreto,
ante quien rendir homenaje con acciones
y dar la vida si es necesario.

VIII
El hombre que me ame
reconocerá mi rostro en la trinchera
rodilla en tierra me amará
mientras los dos disparamos juntos
contra el enemigo.

IX
El amor de mi hombre
no conocerá el miedo a la entrega,
ni temerá descubrirse ante la magia del
        enamoramiento
en una plaza llena de multitudes.
Podrá gritar —te quiero—
o hacer rótulos en lo alto de los edificios
proclamando su derecho a sentir
el más hermoso y humano de los sentimientos.

X
El amor de mi hombre
no le huirá a las cocinas,
ni a los pañales del hijo,
será como un viento fresco
llevándose entre nubes de sueño y de pasado,
las debilidades que, por siglos, nos mantuvieron
        separados
como seres de distinta estatura.

XI
El amor de mi hombre
no querrá rotularme y etiquetarme,
me dará aire, espacio,
alimento para crecer y ser mejor,
como una Revolución
que hace de cada día
el comienzo de una nueva victoria.

SALUDO AL ECLIPSE EN TIEMPO DE GUERRA

Desde una estrella cuyo rumbo no conozco,
viene naciendo el aviso del eclipse,
eclipse de sol para que se acomoden las mareas
y otra cara brillante emerja en el firmamento
para gozo de todas las algas, los peces, los
bancos de corales, el vientre de agua de mi
Universo.

Levántate, muchacha
que ya sonaron las trompetas de Jericó
y han de caer tus muros sordamente levantando
        polvaredas de recuerdos,
para que se libere tu recóndita ciudad
y haya ruido de domingo otra vez y fiesta en tu
        corazón;

levántate y no temas el fuego, ni la guerra;
así como de ruinas se levanta en alto el canto
así como de ruinas reverdece hoy tu sonrisa bajo
        nuevas alamedas;
así esta nova amenazada, esta estrella
romperá los cercos de enemigos, atravesará el tiempo
y viajará hasta siempre
en la eternidad de la primigenia mirada de los héroes.

SIGNOS

Es el amor, tendré que ocultarme o huir.
Jorge Luis Borges

Lento,
violento,
rumoroso
temblor
de hojas
en la intrincada selva de mis espinas.
Invasión de ternura en los huesos.
Ola dulce de agua
reventándome en el fondo del pecho,
encrespándose
y volviendo a extenderse
              espuma
sobre mi corazón.

Es el amor con su viento cálido,
lamiendo insistente la playa sola de mi noche.
Es el amor con su largo ropaje de algas,
enredándome el nombre, el juicio, los imposibles.
Es el amor salitre, húmedo,
descargándose contra la roca de mi ayer impávida
      dureza.
Es la marea subiendo lentamente
las esquinas de piedra de mis manos.
Es el espacio con su frío
y el vientre de mi madre palpitando su vida en el
      silencio.

Es el grupo de árboles en el atardecer,
el ocaso rojo de azul,
la luna colgada como fruta en el cielo.
Es el miedo terrible,
el pavor de abrir la puerta
y unirse a la caravana
de estrellas persiguiendo la luz
como nocturnas, erráticas mariposas.
Es la tiniebla absoluta
o la más terrible y blanca nova del Universo.
Es tu voz como soplo
o el ruido de días ignorando los rumbos de tu
        existencia.
Es esa palabra conjuro de todas las magias,
látigo sobre mi espalda tendida al filo del sol,
desencajando el tiempo con sus letras recónditas,
desprendida del azar y de la lógica,
loca palabra, espada,
torbellino revolviéndome tibias memorias
apaciblemente guardadas en el desván de los sueños,
estatuas que de pronto se levantan y hablan,
duendes morados saliendo de todas las flores,
silbando música de tambor de guerra,
terribles con sus largos zapatos puntudos,
burlándose de mí
que, inútilmente,
cavo tenaz, enfurecida, incapaz,
llorando en mi espanto,
esta última trinchera.

SI YO NO VIVIERA

Si yo no viviera en un país asediado
que rodeado de muerte nos da vida.

Si no creyera en la fuerza del pensamiento
y pensara que sólo es útil
para ejercicio del cerebro.

Si no me despertara cada mañana
con algo menos,
algo que ya no está:
—el jabón, las bujías, la leche—
y no supiera que en adelante
tendré que inventarme hasta la luz
y volver contenta
a lo primitivo y bueno
que hay en cada casa,
en cada corazón.

Si no caminara cotidianamente
en la navaja que separa las nubes
del cielo y el infierno
y fuera una mujer de lino en un país planchado
desarrollado
lleno de todo lo que aquí nos falta...

Seguramente
hubiera pasado a tu lado
sin mirarte
sin que me vieras.

Seguramente
ni vos
ni yo
estaríamos ahora sentados
mirándonos
tocándonos
acariciando
como a un niño
el tiempo.

DEVOLUCIONES

Deja en paz, te lo suplico, Eros,
mi corazón: Busca otra parte de mi
cuerpo.

Epigrama Helénico

Devuélveme mi corazón, viajero.
Tú te irás —me lo dices—,
montado en alado pegaso te alejarás
y dejarás sólo noches solas a mi alrededor.
por esto, antes de que dobles el hueco del camino,
debes dejarme puesto en el pecho el corazón.
No te atrevas a llevártelo escondido en el equipaje
tentado por el deseo de acariciarlo
cuando encuentres que no encuentras otro
tan rojo, tan amante, tan lleno de cantos para vos.
Debes devolverme la roja lámpara
que alumbrará otros caminos andantes de mi pecho.
Debes dejármelo palpitando, trasplantado,
un poco enfermo seguramente,
pero vivo y aleteando vida.

Yo envolveré en una manta mis largos pies.
Te los daré para que, nerviosos, te sigan,
para que ellos vuelvan a traerte todo mi cuerpo
si alguna vez quieres trópico y corazón del sol
cuando el frío y las luces de neón
te rodeen como ejércitos enemigos.

PERMANENCIA DE LOS REFUGIOS

Ciudad mágica la mía
en la que un caballo blanco atraviesa lentamente la
    avenida
apenas caída la noche.
(En penumbra el parque y los edificios
construidos en medio de escombros.)

Regreso del cine.
Imágenes donde puedo repetir nuestra historia.
Dos horas de verte y verme,
de decirte adiós casi inevitablemente.
Sólo el amor podría lograr la salvación,
solamente el amor podría hacer el milagro.
El amor difícil y atormentado,
así de real
como éste de la americana y el comunista,
ningún artificio en el celuloide para disfrazar la realidad,
es la pareja con su cotidianidad y sus luchas,
luchas internas contra la rutina, los intrusos,
lo que uno quisiera que fuera la relación
contra lo que realmente es
—do seres humanos desvalidos pero hermosos
juntos en una noche de lluvia,
dulcemente atrapados el uno en el otro
cada uno techo del otro,
cada uno paraguas, refugio del otro,
a pesar de las lágrimas y los gritos,
allí se quedan juntos en la cama abrazados, callados
mientras afuera la lluvia cae—

y en el espejo las amigas hablan de la liberación
    femenina
y cómo debería ser el hombre
ese hombre que ella abraza
y no es más que él,
el que ella ama,
no el ideal, pero sí el amado.

Vos y yo,
también atrapados en el espacio de nuestras miradas.
En el mundo, afuera, caen lluvias de balas
y estamos juntos
entes en los que la piel se encarga de limar los
    imposibles aparentes
—hemos dicho que viviríamos el presente—.

Las imágenes me hacen presente la pregunta:
¿qué pasará
dónde nos encontraremos
quién sustituirá tu cuerpo y el mío
cuando nos lancemos el uno lejos del otro
y nos despidamos un día en un aeropuerto
    cualquiera
pretendiendo que no importa
que así es la vida
que queríamos estar juntos un tiempo
y después ya se vería
volveríamos a vivir
encontraríamos...
¿Qué encontraremos?
¿Qué piel me sacará esta música que tus
    manos provocan,
con quién discutiré, pelearé, hablaré
hasta que sea tarde para irme a la oficina,
hasta el desvelo, el cansancio,

como que nunca se acabaran las palabras y
      siempre hubiera algo nuevo que decir?
¿Quién repetirá tus ojos,
la risa de la mirada cómplice
los cuerpos durmiendo bajo la ventana en la
      noche
haciéndose cosquillas?
Esta pareja y el amor despreciando la
      irracionalidad del mundo,
desafiándola,
unida contra las predicciones,
contra la guerra y los absurdos,
refugio contra la bomba atómica.

Esta pareja acurrucada en su caverna moderna
lejos de los dinosaurios.
¿Un día ya no habrá más esto
sino una sombra que nos acompañe?
(...ay, pero ya no será tu cuerpo,
      ni mi cuerpo
      La pareja existe tan pocas veces
      la mayor parte del tiempo es sólo
      la búsqueda,
      hombres y mujeres parte de la búsqueda,
      no es la pareja,
      no es esto que nos mantiene entrelazados,
      eso que vos no querés nombrar
      por miedo a que te hechice y te cuestione la vida,
      toda la vida de aquí para adelante,
      porque como bien dijiste,
      el amor es serio
      es compromiso).

Allí están en la pantalla,
muy serios y juntos

el italiano y la americana
amándose
mientras el mundo se desata en lluvia.
Un caballo blanco atraviesa mi mágica ciudad
apenas caída la noche.

FURIAS PARA DANZAR

Voy a cantar mi furia iluminada,
desembarazarme de ella
para poderte amar
sin que cada beso
sea mi cuerpo extendido y desnudo
sobre la piedra ritual.

Yo he amado hombres hermosos,
violentos, dulces, tristes y joviales.
En todos he buscado la luna,
los flujos y reflujos, la marea.
Yo he sido un volcán desparpajado
arrojando lava
y una gaviota volando a ras del agua.
Una paloma alimentando sus pichones,
una leona recorriendo majestuosa las selvas.
He andado veredas de todas suertes
y he sorbido y sudado la vida que me dieran.
He conocido inviernos tormentosos
y los veranos secos en que la piel se parte
con la tierra.
He caminado a lo largo y lo ancho
volado máquinas de todas las especies.
He conocido muertes
y las he amado cubiertas de musgo y lágrimas.

Más heme aquí levantando arenas en castillos
        de agua.
Heme aquí danzando alocadamente espejos sin

imágenes.
Árbol que se sacude enfurecido las flores
para quedarse desnudo y solo en el atardecer.

Esgrimo bandadas de aves migratorias
que buscan perseguirte en el espacio.
Doblo las ramas del mundo enardecido
y te doy a beber sudor de multitudes.

Te desdeño y acaricio los rizos negros
de la cabellera.
Callo o me lanzo a decir encendidos discursos.
Uso hechizos de mujer o fríos razonamientos
        de sabios.
Agoto municiones en un combate de enemigos
        invisibles.

Algún día saldrás del laberinto.
Caminarás por jardines pacíficos atado de
        recuerdos.
Yo rabiaré las noches
y el tesoro de mis alondras submarinas
estará sumergido en el valle donde nace el
        huracán.
Ahora salgo descalza piel
a recorrer avenidas
en la desenfrenada carrera de los venados.

Ya se sosegará mi corazón
tejedor de suerte y telarañas.
Ya me sacudirán terremotos
para crear tenues ciudades
paisajes delineados en la espuma.

Algún día moriré de morirme.

Te dejaré tatuado de ruiseñores.
Creceré enredaderas en torno
a tus noches lejanas.

Las espirales de este tiempo que se esfuma
te traerán en el olor de las azaleas
esta mujer que cantó
contra Penélopes
para un sordo Ulises navegante.

ALUCINACIÓN

Hoy me desperté
quietamente mujer-poeta
y quise imaginarme que podría
simplemente dejarme ir hacia el amor
como un perezoso velero siguiendo juguetón
    el viento.
Pensé llegar de pronto, aparecerme
olvidar el tecleteo de la oficina,
el teléfono,
el tiempo,
y estár mirándote
como si nada en el mundo fuera más importante.
Esta sensibilidad de pájaro me asusta;
no sé qué tan lejos están los barrotes de la jaula
que, a veces, me parece intuir en tu voz
ubicándome en la realidad.
¿No sabes, acaso, si en algún lugar secreto y mágico
donde habiten brujos simpáticos y bonachones,
podré encontrar la brújula
para no equivocar el camino hacia tu corazón
y aprender a conocer el bosque
donde el duende que vive detrás de tus ojos
tiene su casita llena de teteras, espejos y alquimias?

Hay días en que los brazos se me cargan de flores
y mi piel huele a hierbas penetrantes
y me despeino, me descalzo
y pienso que todo esto es de locos
y me gusta

no te imaginás cómo me gusta
sentirme Eva nombrándote mi mundo
y ver que me ves con esa expresión curiosa
como pidiéndome la llave
y, a la misma vez, retrayéndote en la cordura,
atando con complicadas conexiones
lo que nos está haciendo cosquillas
para que salgamos de los escritorios y los teléfonos
olvidemos los distintos planetas que habitamos
y salgamos volando por la ventana
desnudos como ángeles traviesos
para abrir los laberintos de rosas de la vida
apagar las máquinas irracionales de la muerte
y llegar al centro del sol,
al centro de la deliciosa locura
donde un beso
contiene
toda la sabiduría del Universo indescifrable.

AMOR EN DOS TIEMPOS

I

Mi pedazo de dulce de alfajor de almendra
mi pájaro carpintero serpiente emplumada
colibrí picoteando mi flor bebiendo mi miel
sorbiendo mi azúcar tocándome la tierra
el anturio la cueva la mansión de los atardeceres
el trueno de los mares barco de vela
legión de pájaros gaviota rasante níspero dulce
palmera naciéndome playas en las piernas
alto cocotero tembloroso obelisco de mi perdición
tótem de mis tabúes laurel sauce llorón
espuma contra mi piel lluvia manantial
cascada en mi cauce celo de mis andares
luz de tus ojos brisa sobre mis pechos
venado juguetón de mi selva de madreselva y musgo
centinela de mi risa guardián de los latidos
castañuela cencerro gozo de mi cielo rosado
de carne de mujer mi hombre vos único talismán
embrujo de mis pétalos desérticos vení otra vez
llamame pegame contra tu puerto de olas roncas
llename de tu blanca ternura silenciame los gritos
dejame desparramada mujer.

II

Campanas sonidos ulular de sirenas
suelto las riendas galopo carcajadas

pongo fuera de juego las murallas
los diques caen hechos pedazos salto verde
la esperanza el cielo azul sonoros horizontes
ue abren vientos para dejarme pasar:
«Abran paso a la mujer que no temió las mareas
         del amor
ni los huracanes del desprecio»

Venció el vino añejo el tinto el blanco
salieron brotaron las uvas con su piel suave
redondez de tus dedos llovés sobre mí
lavás tristeza reconstruís faros bibliotecas
de viejos libros con hermosas imágenes
me devolvés el gato risón Alicia el conejo
el sombrero loco los enanos de Blancanieves
el lodo entre los dedos el hálito de infancia
estás en la centella en la ventana desde donde
nace el árbol trompo tacitas te quiero te toco
te descubro caballo gato luciérnaga pipilacha
hombre desnudo diáfano tambor trompeta
         hago música
bailo taconeo me desnudo te envuelvo
         me envuelves
besos besos besos besos besos besos besos besos
silencio sueño.

OCTUBRE

Octubre me toca estar sin vos
entonces te ciño me preño de tu última mano
la puerta entornada la mirada sobre la cama
la madrugada por donde saliste
dejaste siembra en mi piel semilla de tu nombre
te vas para volver aparecés a veces en la noche
te veo nebuloso en las ventanas del sueño
te oigo desde lejos contando cosas
días que no me has tenido
miradas que traerás
cuando vuelva la llave a la cerradura
y encuentre tu gesto el desorden los timbres
sacándome mi preñez de atrapadas imágenes
el día con un sol de los dos
la noche con la luna redonda
la tinta de todos los cuentos
qué hiciste qué hice paisajes de yeso costas
arrecifes manteles de cuadros mi mano en tu mano
reloj que late en mi vientre cerezas fresas
frutas que guardo almíbar ardiente
afino el abrazo triángulo la puntería de los besos
espero la puerta la mano los ojos diciendo
el regreso.

PEQUEÑAS LECCIONES DE EROTISMO

I
Recorrer un cuerpo en su extensión de vela
Es dar la vuelta al mundo
Atravesar sin brújula la rosa de los vientos
Islas golfos penínsulas diques de aguas embravecidas
No es tarea fácil —sí placentera—
No creas hacerlo en un día o noche de sábanas
     explayadas
Hay secretos en los poros para llenar muchas lunas

II
El cuerpo es carta astral en lenguaje cifrado
Encuentras un astro y quizá deberás empezar
Corregir el rumbo cuando nubehuracán o aullido
     profundo
Te pongan estremecimientos
Cuenco de la mano que no sospechaste

III
Repasa muchas veces una extensión
Encuentra el lago de los nenúfares
Acaricia con tu ancla el centro del lirio
Sumérgete ahógate distiéndete
No te niegues el olor la sal el azúcar
Los vientos profundos cúmulos nimbus de los
     pulmones
Niebla en el cerebro
Temblor de las piernas
Maremoto adomercido de los besos

IV

Instálate en el humus sin miedo al desgaste
      sin prisa
No quieras alcanzar la cima
Retrasa la puerta del paraíso
Acuna tu ángel caído revuélvele la espesa
      cabellera con la
Espada de fuego usurpada
Muerde la manzana

V

Huele
Duele
Intercambia miradas saliva imprégnate
Da vueltas imprime sollozos piel que se escurre
Pie hallazgo al final de la pierna
Persíguelo busca secreto del paso forma del talón
Arco del andar bahías formando arqueado caminar
Gústalos

VI

Escucha caracola del oído
Cómo gime la humedad
Lóbulo que se acerca al labio sonido de la respiración
Poros que se alzan formando diminutas montañas
Sensación estremecida de piel insurrecta al tacto
Suave puente nuca desciende al mar pecho
Marea del corazón susúrrale
Encuentra la gruta del agua

VII

Traspasa la tierra del fuego la buena esperanza
navega loco en la juntura de los océanos
Cruza las algas ármate de corales ulula gime
Emerge con la rama de olivo llora socavando

ternuras ocultas
Desnuda miradas de asombro
Despeña el sextante desde lo alto de la pestaña
Arquea las cejas abre ventanas de la nariz

VIII
Aspira suspira
Muérete un poco
Dulce lentamente muérete
Agoniza contra la pupila extiende el goce
Dobla el mástil hincha las velas
Navega dobla hacia Venus
estrella de la mañana
—el mar como un vasto cristal azogado—
duérmete náufrago.

NICARAGUA AGUA FUEGO

Lluvia
Ventana trae agua sobre hojas
viento pasa arrastrando faldas
lodos llevan troncos
árboles pintan estrellas charcos de sangre
fronteras de un día que hay que pelear
sin remedio sin más alternativa que la lucha
Detrás de cortina mojada
escribo dedos sobre gatillos
guerras grandes
dolores tamaño ojos de madres
goteando aguaceros incontenibles
vienen los cuerpecitos helados muertos
bajan de la montaña los muchachos
con sus hamacas recuperadas de la contra
comemos poco hay poco queremos comer todos
manos grandes blancas quieren matarnos
pero hicimos hospitales camas
donde mujeres gritan nacimientos
todo el día pasamos palpitando
tum tum tam tam
venas de indios repiten historia:
No queremos hijos que sean esclavos
flores salen de ataúdes
nadie muere en Nicaragua
Nicaragua mi amor mi muchachita violada
levantándose componiéndose la falda
caminando detrás del asesino siguiéndolo
montaña abajo montaña arriba

no pasarán dicen los pajaritos
no pasarán dicen los amantes que hacen el amor
que hacen hijos que hacen pan que hacen trincheras
que hacen uniformes que hacen cartas para los
        movilizados
Nicaragua mi amor mi negra miskita suma rama
palo de mayo en la Laguna de Perlas
vientos huracanados bajando San Juan abajo
no pasarán y llueve sobre los sombreritos
que andan husmeando el rastro de las bestias
y no les dan descanso los persiguen los sacan
del pecho de la patria los arrancan sacan la hierba
        mala
no la dejan que pegue
queremos maíz arroz fríjoles
que peguen las semillas en las tierras donde
campesino guarda en caja de madera título de
        Reforma Agraria
no pasen los diablos anunciando la buena nueva
        del perdón
a los que vieron ranchos arder
y vecino asesinado frente a su mujer y sus hijos
Nicaragua mi muchachita
baila sabe leer platica con la gente
le cuenta su cuento sale en aviones a contar
        su cuento
anda por todo el mundo con su cuento a tuto
habla hasta por los codos en periódicos de idiomas
        incomprensibles
grita se pone brava furiosa
parece mentira cuánta bulla mete y cómo resiste
aviones minas pirañas bombas maldiciones
        en inglés
discursos sobre cómo bajar la cabeza
y no se deja se suelta pega carreras

y allá va el General y la colina los cohetes reactivos
las columnas verdes avanzando despalando
haciendo ingenios de azúcar
ríos de leche casas escuelas
chavalos contando su historia
renqueando salidos del hospital
agarrando bus para volver al norte
viento que se sacude el miedo
nacimos para esto
reímos por esto
entre dientes andamos la rabia y la esperanza
no nos dejan no los dejamos ni a sol ni a sombra
país chiquito pero cumplidor
Nicaragua lanza lanzada atrevida chúcara yegua
potreros de Chontales donde Nadine
sueña caballos percherones
y soñamos en surtidor
tenemos una fábrica de sueños
sueños en serie para los descreídos
aquí nadie sale sin su arañazo en la conciencia
nadie pasa sin que le pase nada
país de locos iluminados poetas pintores
chorros de luces escuelas de danza
conferencias internacionales salones de protocolo
policías escolares regañando dulcemente
carne y hueso de gente que acierta y se equivoca
que prueba y vuelve a probar
aquí todo se mueve caderas de mujer bailando
sonando ganas de vivir ante momias
hablando de la muerte queriendo ganar su pasaje
            de regreso
en hojas impresas que salen por la tarde
            con sus mentiras
y sus rabias de histérica frustrada
envidia de la muchacha que se contonea, se chiquea,

cierra el ojo vende tamales vende pinturas
hace milicias va al parque inventa el amor
enciende los malinches se esconde para desconcertar
sale andando en medio de bayonetas caladas
hace circo y ferias y reza
y cree en la vida y en la muerte
y alista espadas de fuego
para que a nadie le quede más decisión
que paraíso terrenal
o cenizas
patria libre
o morir.

LOS PORTADORES DE SUEÑOS

En todas las profecías
está escrita la destrucción del mundo.

Todas las profecías cuentan
que el hombre creará su propia destrucción.

Pero los siglos y la vida que siempre se renueva
engendraron también una generación de amadores
          y soñadores;
hombres y mujeres que no soñaron con la
          destrucción del mundo,
sino con la construcción del mundo de las mariposas
y los ruiseñores.

Desde pequeños venían marcados por el amor.
Detrás de su apariencia cotidiana
guardaban la ternura y el sol de medianoche.
Sus madres los encontraban llorando
          por un pájaro muerto
y más tarde también los encontraron a muchos
muertos como pájaros.

Estos seres cohabitaron con mujeres traslúcidas
y las dejaron preñadas de miel y de hijos reverdecidos
por un invierno de caricias.

Así fue como proliferaron en el mundo los portadores
          de sueños,
atacados ferozmente por los portadores de profecías

habladoras
de catástrofes.
Los llamaron ilusos, románticos, pensadores de
        utopías,
dijeron que sus palabras eran viejas
—y, en efecto, lo eran porque la memoria del paraíso
        es antigua
en el corazón del hombre—
los acumuladores de riquezas les temían
y lanzaban sus ejércitos contra ellos,
pero los portadores de sueños todas las noches
        hacían el amor
y seguía brotando su semilla del vientre de ellas
que no sólo portaban sueños sino que los
        multiplicaban
y los hacían correr y hablar.

De esta forma el mundo engendró de nuevo su vida
como también había engendrado a los que inventaron
        la manera
de apagar el sol.

Los portadores de sueños sobrevivieron a los
        climas gélidos
pero en los climas cálidos casi parecían brotar por
        generación espontánea.
Quizás las palmeras, los cielos azules, las lluvias
        torrenciales
tuvieron algo que ver con esto,
la verdad es que como laboriosas hormiguitas
estos especímenes no dejaban de soñar y de construir
        hermosos mundos,
mundos de hermanos, de hombres y mujeres que se
        llamaban compañeros,
que se enseñaban unos a otros a leer, se consolaban

en las muertes,
se curaban y cuidaban entre ellos, se querían, se
        ayudaban en el
arte de querer y en la defensa de la felicidad.

Eran felices en su mundo de azúcar y viento
y de todas partes venían a impregnarse de su aliento
y de sus claras miradas
y hacia todas partes salían los que los habían
        conocido
portando sueños
soñando con profecías nuevas
que hablaban de tiempos de mariposas y ruiseñores
en que el mundo no tendría que terminar en la
        hecatombe
y, por el contrario, los científicos diseñarían
fuentes, jardines, juguetes sorprendentes
para hacer más gozosa la felicidad del hombre.

Son peligrosos —imprimían las grandes rotativas
Son peligrosos —decían los presidentes en sus
        discursos.
Son peligrosos —murmuraban los artífices de la guerra

Hay que destruirlos —imprimían las grandes
        rotativas
Hay que destruirlos —decían los presidentes en sus
        discursos
Hay que destruirlos —murmuraban los artífices de la
        guerra.

Los portadores de sueños conocían su poder
y por eso no se extrañaban
y también sabían que la vida los había engendrado
para protegerse de la muerte que anuncian las

        profecías.
Y por eso defendían su vida aun con la muerte.
y por eso cultivaban jardines de sueños
y los exportaban con grandes lazos de colores
y los profetas de la oscuridad se pasaban noches
        y días enteros
vigilando los pasajes y los caminos
buscando estos peligrosos cargamentos
que nunca lograban atrapar
porque el que no tiene ojos para soñar
no ve los sueños ni de día, ni de noche.

Y en el mundo se ha desatado un gran tráfico de
        sueños
que no pueden detener los traficantes de la muerte;
y por doquier hay paquetes con grandes lazos
que sólo esta nueva raza de hombres puede ver
y la semilla de estos sueños no se puede detectar
porque va envuelta en rojos corazones
o en amplios vestidos de maternidad
donde piesecitos soñadores alborotan los vientres
        que los cargan.

Dicen que la tierra después de parirlos
desencadenó un cielo de arcoiris
y sopló de fecundidad las raíces de los árboles.

Nosotros sólo sabemos que los hemos visto
Sabemos que la vida los engendró
para protegerse de la muerte que anuncian las
        profecías.

ACONTECIÓ EN UN VIAJE DE
DOMINGO A LA PLAYA

Llovía.
nosotros pensábamos optimistas:
El camino se aclarará más adelante.
Seguramente en la playa, el sol.

El parabrisas del carro zas zas.
Neblina en las ventanas.
Árboles envueltos en sábanas blancas.
Gente mojada.
Frío en la carretera.

—Mejor estaríamos en la cama.
El horizonte hacia el lado del mar está todo
      nebuloso.
Devolvámonos a leer y abrazarnos—.

Giramos:
Entramos a Diriamba.
Todo el pueblo encerrado
guardado de la bruma la llovizna.

En el enredo de las esquinas
desembocamos de improviso en una rotonda:
Un monumento nombres de compañeros.
El cementerio al fondo.
Se veía hermoso.
Niebla suavizando la muerte.

—Bajemos. nunca he estado aquí.
Quisiera ver la tumba de Ricardo Morales.
    Dejarle algunas caricias sobre la tierra.
    Unas hojitas de limonaria—.

Bajamos.
Las tumbas de los ricos imponentes a la entrada.
Sus ángeles llorando lágrimas de lluvia.
Llovizna y tumbas buscando a Ricardo.
¿Dónde estará Ricardo?
Y encontramos lápidas de otros:
combatientes, padres, hermanos, monjas
    octogenarias.
Hasta una mezquita oriental con este epitafio:
«Aquí yace Ramón López
que murió joven
disfrazado de anciano».
Pensamos en la muerte.
Yo, Ricardo, buscaba tus ojos.
Aquellos que unas pocas veces vi, inolvidables.
los ojos de tu hija, Doris María.

No te encontramos.
Regresamos bajo la llovizna pertinaz.
Fue como tocar la puerta de tu casa y no hallarte.
Como que alguien dijera que había salido,
que andabas en alguna reunión.
Fue como saber que tu tumba no existe,
que andás por allí,
apurado entre las calles mojadas
trabajando sin morirte nunca.

NUEVA YORK

Bosque de los huracanes
Se aproxima la ciudad de las altas chimeneas
Es Nueva York
Nueva York
Las nubes se enredan en la cresta de la ciudad
Desde arriba las calles semejan rejas
de un inmenso acerado laberinto
Se levanta la humareda el vaho el vapor
espuma de gente que vive
olas de seres batiéndose en marea baja y marea alta
en las costas calles contra las rocas picos rascacielos
Corre el avión sobre trampas lisas rectas
bulbos azules blancos señalan la pista de aterrizaje
Bajamos a la ciudad de los tumultos
nudo de las aglomeraciones
ruido de trenes buses taxis
rostros innumerables
rostros vistos una sola vez
irrepetibles consumidos en la profundidad
moviéndose hacia destinos desconocidos
maletas etiquetas evocando países remotos
coincidimos en la hilera abordando los taxis
        amarillos
nos separamos sin saber quiénes somos
todos vamos a alguna parte
sin mirarnos
cuerpos apretados cuerpos que chocan
ojos que no se encuentran
Entramos corremos surcamos autopistas iluminadas

puentes arcos el río oscuro corriendo abandonado
      a su suerte
como nosotros
como todos aquí archipiélagos islas sin puentes
cruzando puentes artificiosamente labrados en el
      acero
Nueva York
vieja bruja fascinante cambiante camaleón
caja de pandora abiertas calles abiertas faldas
abiertas puertas hacia la tentación
libros muebles ropa revistas restaurantes tiendas
tiendas tiendas caras baratas cines teatros modas
deportes pornografía zapatos queso sorbete
conciertos ópera boutiques almacenes inmensos
el almacén más grande del mundo
pisos pisos pisos unos sobre los otros
cafeterías hamburgueserías supermercados
salmón ostras aguacates jugo de naranja
máquinas para jugar para excitarse para pensar
para calcular drogas para soñar
audífonos para pasear por las calles
oyendo música en patines surcando navegando
ausente de la calle los transeúntes pasando
Nueva York
de algos edificios gemelos
los más altos del mundo: el World Trade Building
el edificio del comercio dominando toda la ciudad
Dios de la ciudad
dos torres dos ojos mirando
Bosque de los huracanes
Tantos árboles de concreto tantas ventanas altas
Cuando el viento sopla se crean corrientes furiosas
enorme boca soplando su propio clima
ventiscas atizadas por los rascacielos
el viento atrapado en esta red gigante

nacida de la mano del hombre
Nueva York
aquí trabajaron trabajan miles de personas
dejaron dejan sus años sus sueños
engendraron engendran hijos
levantaron levantan estas columnas atrapadoras
     de nubes
puertos aeropuertos estaciones carreteras
aviones trenes barcos trajeron griegos irlandeses
italianos chinos hindúes árabes latinos polacos
rusos japoneses filipinos africanos
buscadores de fortunas perseguidos esclavos
exiliados aventureros músicos poetas
científicos locos gangsters anónimos inmigrantes
olas de rostros confundidos desleídos perdidos
Aquí vive un pueblo
un árbol de muchas raíces
vidas muertes dequienes aquí se entendieron
socios de la soledad y el estrépito
Nueva York
Central Park
Se nos acercan las ardillas
Es raro que se acerquen pero las llamé les hablé
Vinieron miedosas caminando sobre la grama yerta
     por el invierno
Troncos lisos sin hojas
desnudos esqueléticos hermosos en el atardecer
     del frío
Jóvenes jugando base-ball parejas abrazadas
nosotros abrazados confundidos
caminando sin rostros sin identidad para nadie
granos de arena en esta playa tumulto del anonimato
Muelles de Nueva York
el río corriendo el Hudson derramándose
estirando su tira plateada robles negros

recortados en el atardecer el hombre paseando
    sus perros
el homosexual llamando al teléfono público
preguntando por el amado
clavos herrumbrados maderos carcomidos por el agua
arañazos de aviones serpenteando el cielo
    congestionado
miles de aviones todo el día entrando y saliendo
trenes subterráneos
mundo subterráneo atronador carriles estaciones
vagones pintados de consignas que no dicen nada
pintas en las paredes ininteligibles
signos de quienes no saben qué decir
sólo que quieren decir algo confuso
dejar huella llamar la atención armados
de latas de pintura emborronando el aluminio
corriéndose de la policía
violando matando sirenas a todas horas
pleitos callejeros insultos salidos de cualquier parte
Rostros vivos muertos alegres tristes
personas que quieren platicar comunicarse
hablarse entre sí los incomunicados
la mujer gritando en la calle
por Dios ayúdenme –en español—
pasando a su lado nadie se detiene
Se van a sus casas toman café
café mañana tarde y noche
café traído de países como el nuestro
países pequeños pobres exportadores de café
países que toman café aguado para que en
    Nueva York
pasemos por tiendas donde el café empapa el olor
    de toda la calle
Nueva York
Vieja bruja fascinante

Puta cara carísima vida carísima comida
    carísimos libros
apartamentos carísimos
Gozar es tener dinero
Sólo necesitás dinero
Sin dinero no hacés nada
Bancos sacrosantos semejando confesionarios
con máquinas códigos dispensadores de dinero
apretás un número y salen los billetes
Entran las personas a retirar dinero
Unas al lado de las otras respetuosas
no se miran diríase que están rezando
Nueva York
Bosque de los huracanes
Bella ciudad horrible
pobre gente rica pobre gente pobre
fascinación hechizo magia de la abundancia
olas de seres batiéndose en marea alta y marea baja
felices desgraciados seres humanos
apretujados en este vientre contráctil
ciudad vomitándolos naciéndolos
seres abigarrados enrejados pegados unos a los otros
rehuyéndose los ojos huyendo a sus pequeños mundos
cuidando luchando para que no se les confunda
    el nombre
la identidad conocer su ventana en la maraña
    de pisos
no perder la llave la casa el trabajo la mujer
    el hombre
la lágrima el tacto el semen
sobrevivir
sobrevivir como nosotros que sobrevivimos
que luchamos para sobrevivirlos a ellos
    que sobreviven
Nueva York

Bosque de los huracanes
Mañana aterrizaremos en Aeropuerto Augusto
    César Sandino
y la ruta la pista el aterrizaje estará iluminado
    por candiles
pequeños pobres cientos de candiles.

PECERAS DE AMOR

Nuestros cuerpos de peces
se deslizan uno al lado del otro.
Tu piel acuática nada en el sueño
junto a la mía
y brillan tus escamas en la luz lunar
filtrándose por las rendijas.
Seres traslúcidos flotamos
confinados al agua de nuestros alientos confundidos.
Aletas de piernas y brazos se rozan en la madrugada
en el oxígeno y el calor
que sube de las blancas algas
conque nos protegemos del frío.
En algún momento de la corriente
nos encontramos
lucios peces se acercan a los ojos abiertos
peces sinuosos reconociéndose las branquias agitadas.

Muerdo el anzuelo de tu boca
y poco después despierto
pierdo la aleta dorsal
las extremidades de sirena.

NOTAS PARA LA MADUREZ

Si querés que te diga la verdad:
Jamás quisiera envejecer,
mucho menos morirme.
Difícil se me hace concebir la vida sin la belleza.
Imaginarme el cuerpo cediéndole paso
a las leyes de Newton
desmoronándose
doblándose ajado hacia su fin
Y soportar aquello.
Pienso en lo que nos dicen las mujeres sabias,
las mayores.
Dicen que la vida se abre como una alameda
cuando finalmente la experiencia alcanza el centro
y la armonía del concierto de las cosas vividas
se deja oír
en el crepúsculo.
Pero sus voces aún no me convencen.
Me aferro a las curvas de mi cuerpo
a los reflejos limpios de mi carne
y me aterro al observar
las primeras señales del tiempo sobre mi rostro.
Aún puedo esconderlas.
Aún no contemplo fisuras irreparables.
Pero el paso de los días me amenaza.
Me digo que sonreiré con otra belleza
que seré abuela de largas trenzas
y muchos cuentos y poemas y pasteles
pero no me engaño:
no me hace ninguna gracia.

Sin embargo no seré yo
ni mi afán
quien cambie el rumbo inexorable de todos los relojes
o detenga a punta de lágrimas la tierra orbitando
     obediente sobre su eje
Moriré como todos
Me consumiré con mis recuerdos
y tendré que hacerle frente a estos miedos
e inventar una pose grácil
cuando mi estructura se corroa y desvencije
y tenga que apoyarme usar anteojos
caminar despacio cuidar la presión y el corazón
¡Ah! Pero siento que aún no me llega la hora
y sin embargo los cumpleaños no me ayudan
mis hijas adolescentes enseñan sus cuerpos de mujeres
mi hijo crece sin piedad
y por primera vez tengo necesidad de escribir un poema
     como éste.

POEMAS DEL ENCUENTRO

En el silencio interior
la felicidad enciende lámparas en el pasadizo de las tardes:

I
Reposo como la reina de discos del Tarot
que con su alto sombrero medieval
nos da la espalda y está reclinada mirando al oasis
apreciando sin orgullo ni modestia los frutos de
largos y numerosos trabajos
sabiendo que no hay triunfo eterno, pero tampoco eterna
      desolación.
Allá están las fuentes
donde el agua oficia las fluidas ceremonias de la vida.
Puedo ver el árbol solo en la distancia
pero también el bosque umbroso de unicornios pacientes.
Después de soledades y sin sentidos
contemplo jardines de helechos sensuales
y un lecho blando y terso
donde los sueños se multiplican
Abro mi casa de ventanas redondas
para oír la historia íntima de batallas y triunfos y derrotas
—mieles y hieles de esta experiencia efímera
que es la vida—
Recuerdo cómo antes desesperé
—y aún hoy a veces olvido lo aprendido—
insomne noche tras noche
atónita ante el tiempo y las nociones insondables
del principio, el fin y las razones de este pasaje grávido
y tan aparentemente fútil

acumulé libros y mapas para encontrar la voz,
la historia de los astros
desentrañar los mitos
la obsesión de Ícaro
que no quiso precipitarse al mar;
preferí las alas
a la mordacidad o la conveniencia.
Ángeles y monstruos me mostraron
sus caras igualmente fascinantes,
pero me fue dado saber que nadie más que yo
podía penetrar las antesalas húmedas de la conciencia
        primigenia
y ascender antes de las asfixia con la rama verde,
el sabor de la clorofila en el paladar.
Tando anduve para no encontrarme más que conmigo misma,
con el reflejo del Universo en mis facciones
de premeditada imperfección:
Supe al fin que el aire de las euforias secretas
vive asomado a mi propio rostro
tiene el calor de mi plexo olar.

La esencia de ser es multitudinaria
y en su multiplicidad
posee mi nombre.

II
Nunca estuve menos sola, más feliz
que cuando al aceptar lo que nunca sabría
supe quien era.

III
Somos como las plantas,
nuestra piel es hoja y nervaduras,
sembradas sobre el magma
de pasiones hermosas que bailan sin cesar.

Somos danza y danzar en el viento
es potestad de nuestras piernas sin raíces.
Todo cambia y nada permanece.
Y no habría belleza, ni danza, ni movimiento
si las estaciones no alborotaran lòs colores
y el follaje de los árboles no se desprendiera amarillo
en el atardecer.
No habrá vida sin muerte,
ni nos alimentaríamos.
Y jamás habríamos sido esto que somos
si la conciencia no guardara experiencias ajenas
que misteriosamente aposentan en el aire interior
cuya esencia desconocemos.
Y sin embargo así como Blake dijo: «La eternidad está
enamorada de la fabricación del tiempo»
es inevitable enamorarse de la creación
y sentir el dolor de no ser inmortales.
Pero ven y abandona el egoísta rencor
ante lo incomprensible,
porque la vida se alimenta de la vida,
hemos de arder en la pira funeraria sin perecer;
los cantos y los mitos
no desaparecerán con nosotros
como no perece el árbol
que recto y tendido me sirve de apoyo para escribir esta
        reflexión.
La experiencia de la vida es la pasión de beberla
hasta la embriaguez profunda,
cantar, bailar, decir versos hermosos
y luego dormir.

CONJUNCIÓN

Afuera
la noche agazapada
aguarda como un tigre
el salto mortal a través de la ventana,
en este recinto donde doliosamente
hago surgir del aire las palabras
me asombra la latente presencia de un beso sobre la pierna.
No hay nadie sólo mi cuerpo solo
mi cuerpo y los cabellos extendidos en imágenes
estoy yo y están ellas
las mujeres sin habla
esas que mis dedos alumbran
esas que la noche se lleva en su aliento de luna

Mujeres de los siglos me habitan:
Isadora bailando con la túnica
Virginia Woolf, su cuarto propio
Safo lanzándose desde la roca
Medea Fedra Jane Eyre
y mis amigas
espantando lo viejo del tiempo
escribiéndose a sí mismas
sacudiendo las sombras para alumbrar perfiles
y dejarse ver por fin
desnudadas de toda convención

Mujeres danzan a la luz de mi lámpara
se suben a las mesas dicen discursos incendiarios
me sitian con los sufrimientos

las marcas del cuerpo, el alumbramiento de los hijos
el silencio de las olorosas cocinas, los efímeros tensos
    dormitorios
mujeres enormes monumentos me circundan
dicen sus poemas cantan bailan recuperan la voz
dice: No pude estudiar latín no pude escribir como
    Shakespeare
Nadie se apiadó de mi gusto por la música
George Sand: Tuve que disfrazarme de hombre, escribí
    oculta en el
nombre masculino
Y más allá Jane Austen acomodando las palabras de
    «Orgullo y Perjuicio»
en un cuaderno en la sala común de la parroquia
interrumpida innumerablemente por los visitantes

Mujeres de los siglos adustas envejecidas tiernas
con los ojos brillantes descienden a mi entorno
ellas perecederas inmortales
parecieran gozar detrás de las pestañas
viendo mi cuarto propio
el nítido legajo de papeles blancos
la negra electrónica máquina de escribir
los estantes de libros
los gruesos diccionarios
el cenicero negro de ceniza
el humo del cigarro

Yo miro los armarios con la ropa blanca
las pequeñas y suaves prendas íntimas
la lista del mercado en la mesa de noche

siento la necesidad de un beso sobre la pierna.

EL HOMBRE Y EL UNIVERSO

Dejamos el espacio iluminado de la conversación de los
    amigos.
Es hora de dormir y se mueven las sillas y los vasos.
Las parejas se retiran a acariciarse la mutua soledad.

Vení —decís— y me tomás la mano.
Salimos a la playa oscura y el cielo es todo el Universo
el Universo nítido y clarísimo
la mancha blancuzca de la Vía Láctea
la diagonal Cruz del Sur,
astros temblando en el viento.
Jamás viera yo noche más intensa
definidos los continentes del cielo
las constelaciones rutilantes
las enormes incógnitas del infinito
desplegadas en el aire delgado
de esta profunda noche desierta.

Voy y yo,
un hombre y una mujer
sobre las rocas
vemos cómo se desprenden estrellas
y cruzan silenciosos los meteoros.
No pido un deseo
—me parece tan trivial—
contemplo solamente aquel misterio
a boca de jarro
me inclino para tocar la fosforescencia del agua.

Hace frío
y de pronto te veo alzarte sobre la piedra
oigo ruido de manantial sobre la arena.
A través de tus piernas
el arco de líquido ámbar
no es menos que la curva espacial
que cursan los astros errantes

En un instante
la inmensidad reduce sus contornos
la aterrorizante fascinación
se torna familiar y acogedora
Estamos sin duda aquí.
Somos parte de cuanta belleza.

Con todo derecho
te orinás frente al Universo.

PLACERES SECRETOS

¡Ah! Si pudiera alimentarme tan solo de sorbete
Altas copas de dulces hielos
donde mi lengua encontraría el tenue sabor de los atardeceres
perezosa lamiendo el gesto frívolo de los transeúntes
en la modorra del caliente crepúsculo.

¡Ah! El inexistente Café de toldos amarillos
extendidos sobre aceras en el resplandor
donde posada en una silla miraría al hombre
sin hablar
dejando el sorbete deshacerse en la oscuridad de la boca
mientras el desconocido —de espaldas—
mira pasar a las mujeres humedecidas por la transpiración.

Altas palmeras bordearían el inexistente malecón
donde el lago lame pies de niños vagabundos
jugando con pelotas amarillas exangües
El frío entre mis dientes languidecería deshaciéndose
en recintos espesos

¡Ah! El calor y los movimientos apagados, tenues
del mesero
asomándose al escote de la turista ingenua
al tiempo que mi cuchara se hunde en la copa cónica
de cristal transparente
para reanudar el gusto íntimo y solitario
vainilla cacao café coco fresa
sobre papilas agitadas
Y pretender una pose fría ausente oscura

—el hombre tendría la súbita tentación
de volverse y mirar—
cuando el sol descienda con un lento movimiento giratorio
sobre el café de toldos amarillos
—modoso paso de adolescentes de largas piernas lamiendo
     conos
impúdicos—

Blanco chocolate y rosa en el poniente de mi falda
que rozaría levemente la pierna del extraño
cuando al abandonar mi mesa bajo los toldos
me perdiera en la cálida noche apenas abierta.

EROS ES EL AGUA

Entre tus piernas
el mar me muestra extraños arrecifes
rocas erguidas corales altaneros
contra mi gruta de caracolas concha nácar
tu molusco de sal persigue la corriente
el agua corta me inventa las aletas
mar de la noche con lunas sumergidas
tu oleaje brusco de pulpo enardecido
acelera mis branquias los latidos de esponja
los caballos minúsculos flotando entre gemidos
enredados en largos pistilos de medusa.
Amor entre delfines
dando saltos te lanzas sobre mi flanco leve
te recibo sin ruido te miro entre burbujas
tu risa cerco con mi boca espuma
ligereza del agua oxígeno de tu vegetación de clorofila
la corona de luna abre espacio al océano
De los ojos plateados
fluye larga mirada final
y nos alzamos desde el cuerpo acuático
somos carne otra vez
una mujer y un hombre
entre las rocas.

AMOR DE FRUTAS

Dejame que esparza
manzanas en tu sexo
néctares de mango
carne de fresas;

Tu cuerpo son todas las frutas.

Te abrazo y corren las mandarinas;
te beso y todas las uvas sueltan
el vino oculto de su corazón
sobre mi boca.
Mi lengua siente en tus brazos
el zumo dulce de las naranjas
y en tus piernas el promegranate
esconde sus semillas incitantes.

Dejame que coseche los frutos de agua
que sudan en tus poros:

Mi hombre de limones y duraznos,
dame a beber fuentes de melocotones y bananos
racimos de cerezas.

Tu cuerpo es el paraíso perdido
del que nunca jamás ningún Dios
podrá expulsarme.

SORTILEGIO CONTRA EL FRÍO

Te dije que hiciéramos el amor como felinos rugiendo
como pareja de libélulas copulando en el aire
como cebras, como venados. Todo es posible en esta noche fría
en que ululan los árboles y la casa en una nuez frágil
vadeando las enormes bocanadas del viento. Estamos solos
y sin embargo la soledad no existe. Si juntamos las manos
encenderemos el fuego imprescindible para vernos los ojos
brillantes del deseo. Tu piel me atrae con la gravedad de
todo el cosmos que afuera sufre su negra eternidad
      impenetrable.
Pretendamos que somos una nave sobre la tersa espalda del
      océano
y en el cuenco profundo de la madera, acomodémonos para
      el amor,
acurruquémonos y seamos otro nuevo elemento; una fusión de
      aire,
fuego y agua.

NUEVA TEORÍA SOBRE EL BIG BANG

El Big Bang fue el orgasmo primigenio:
Orgasmo de los Dioses amándose en la nada.
Cada vez que te amo repito la génesis universal
protones y neutrones, neutrinos y fotones
saltan de mí encendidos a crear nuevos mundos
centellas y meteoros se cruzan con mis gritos
te amo mientras mis pulmones crean la Vía Láctea de nuevo
y el sol vuelve a nacer redondo y amarillo de mi boca
la luna se me suelta de los dedos
Marte, Plutón, Neptuno, Venus, Saturno y sus anillos
las novas, super novas, los agujeros negros
anillos concéntricos de galaxias innombrables
se desgajan de mis contorsiones.
Soy Gala, soy todas las Diosas explotando.
Entre luz de centellas tu planeta de fuego
prende mis luces todas
brotan mundos cometas meteoros se hacen trizas
lluvias de estrellas danzan en el arco del éter
nace por fin la tierra sus edades de magma y cataclismos
la primera partícula de vida moviéndose en la hierba
su cilicio
y luego es el silencio
velocidad de materia que se dispersa en círculos
tus soles y mis soles se asientan en su espacio
es el frío la grandeza del tiempo
la eternidad el azul y el rojo
los sonidos, la estática
el amor insondable tu amor tierno tus manos en mi frente
las campanas a lo lejos bing bang bing bang bing bang

bing bang
Big Bang.

NO ME ARREPIENTO DE NADA

Desde la mujer que soy
a veces me da por contemplar
aquellas que pude haber sido;
las mujeres primorosas
dechado de virtudes
hacendosas buenas esposas
que me deseara mi madre.
No sé por qué
toda mi vida me he pasado rebelando
contra ellas
odio sus amenazas en mi cuerpo
la culpa que sus vidas impecables
por extraño maleficio
me inspiran;
me rebelo contra sus buenos oficios,
los llantos nocturnos debajo de la almohada
a escondidas del esposo
el pudor de la desnudez bajo la planchada y
almidonada ropa interior.
Estas mujeres, sin embargo,
me miran desde el interior de sus espejos;
levantan un dedo acusador
y, a veces, cedo a sus miradas de reproche
y quisiera ganarme la aceptación universal,
ser la «niña buena», la «mujer decente»
la gioconda irreprochable,
sacarme diez en conducta
con el partido, el estado, las amistades,
mi familia, mis hijos y todos los demás seres

que abundantes pueblan este mundo nuestro.
En esta contradicción invisible
entre lo que debió haber sido y lo que es
he invertido numerosas batallas mortales,
batallas inútiles de ellas contra mí
—ellas contra mí que soy yo misma—
Con la «siquis adolorida» me despeino
transgrediendo los ancestrales programaciones
desgarrando a las mujeres internas
que, desde la infancia, me retuercen los ojos
porque no quepo en el molde perfecto de sus sueños
porque me atrevo a ser esta loca falible, tierna y vulnerable
que se enamora como puta triste
de causas justas, hombres hermosos y palabras juguetonas
porque, de adulta, me atreví a vivir la niñez vedada
e hice al amor sobre escritorios en horas de oficina
y rompí lazos inviolables y me atreví a gozar
el cuerpo sano y sinuoso con el que los genes
de todos mis ancestros me dotaron.
No culpo a nadie. Más bien les agradezco los dones.
No me arrepiento de nada, como dijo Edith Piaf.
Pero en los pozos oscuros en los que me hundo;
en las mañanas cuando no más abrir los ojos
siento las lágrimas pujando,
a pesar de felicidad
que he conquistado finalmente
rompiendo estratos y capas de roca terciaria
y cuaternaria,
veo a mis otras mujeres sentadas en el vestíbulo
mirándome con sus ojos dolidos
y me culpo por la felicidad.
Irracionales niñas buenas
me circundan y danzan sus canciones infantiles contra mí;
contra esta mujer
hecha y derecha

plena
esta mujer de pechos en pecho
y anchas caderas
que, por mi madre y contra ella,
me gusta ser.

ÍNDICE